DANS LES COULISSES

D'*INTOUCHABLES*

DU MÊME AUTEUR

MARTINE : PORTRAIT INTIME
Grasset, 2002.

ELLE S'APPELAIT ROMY
Albin Michel, 2002.

LES BONNES CHOSES DE LA VIE
Aubanel, 2004.

VOYAGE AU PAYS DES PSYS
Albin Michel, 2006.

LE GUIDE DU CONSOMMATEUR CITOYEN
Nouveau Monde Éditions, 2008.

PASSIONNÉMENT ! : LES GRANDS AMANTS DU XXᵉ SIÈCLE
Éditions du Toucan, 2009.

MARTINE, LE DESTIN OU LA VIE
Grasset, 2011.

ISBN : 978-2-246-80520-5

ISABELLE GIORDANO

avec la participation de
ÉRIC TOLEDANO et OLIVIER NAKACHE

DANS LES COULISSES D'*INTOUCHABLES*

BERNARD GRASSET

PARIS

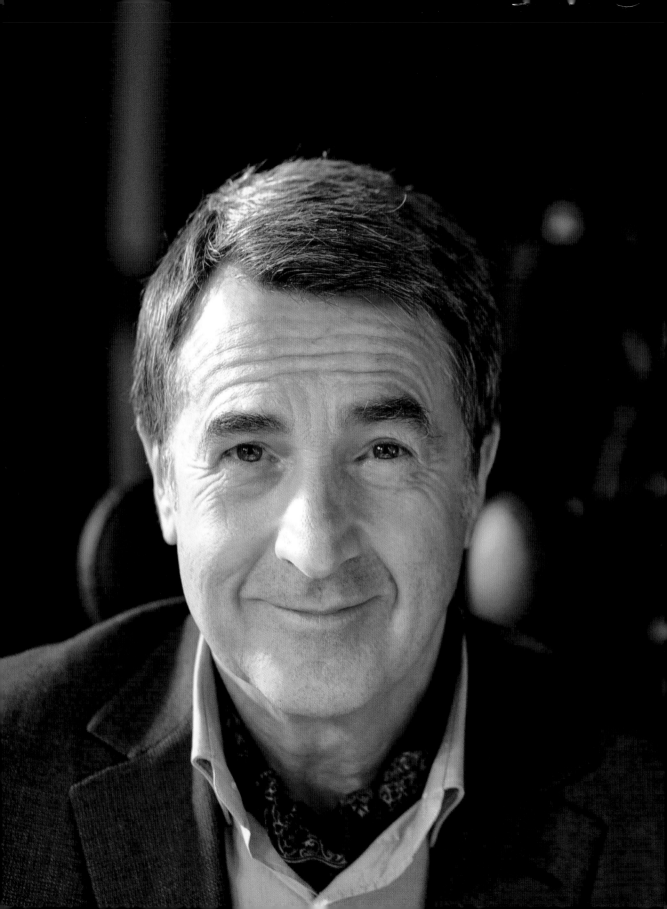

JE LES APPELAIS NOS RENDEZ-VOUS DU JEUDI.

Pendant plus d'un mois, j'ai retrouvé les deux réalisateurs d'*Intouchables* dans un bar chic près des Champs-Élysées. Son ambiance douillette et ses lumières tamisées m'avaient fait espérer qu'ici, Éric Toledano et Olivier Nakache pourraient plus facilement se livrer pour m'aider à percer le mystère de ce film aux multiples records. Pas loin de vingt millions de spectateurs en France. Plus de trente millions à l'étranger. Des chiffres vertigineux. Sans compter l'enthousiasme du public, la cohue, les files d'attente devant les salles, et les réactions, y compris politiques, provoquées par le film. Il y avait de quoi s'interroger.

Pourquoi *Intouchables* a-t-il eu un tel impact ? Pourquoi a-t-il suscité un tel engouement en France et ailleurs dans le monde ? Quelles traces a-t-il laissées, aujourd'hui, dans la société française ?

Je voulais aussi sonder les mystères d'une amitié. Drôle d'idée tout de même de réaliser un film à deux. On connaît les duos de frères, Taviani, Coen, Dardenne… Mais faire le choix de mettre en scène en commun, film après film, sans jamais se séparer, cela n'est pas si courant dans l'histoire du cinéma français. Pour quelle raison alors ? Éric Toledano et Olivier Nakache ont des personnalités bien distinctes, mais tous deux sont animés par un même désir de cinéma. S'ils m'ont confié bien des choses sur le tournage, les acteurs et les secrets de la fantastique aventure

humaine qu'ils ont vécue ensemble, j'ai aussi beaucoup appris sur eux. Comment ont-ils décidé de faire ce film ? Pourquoi ces acteurs ? Et comment ont-ils gardé la tête sur les épaules en voyant le film dépasser toutes leurs espérances, exploser le box-office français puis international ?

Pour la première fois avec ce livre, Éric Toledano et Olivier Nakache ont accepté de soulever un coin du voile et d'ouvrir leurs archives secrètes.

Au-delà de l'aventure hors du commun, j'ai aussi voulu comprendre en quoi ce film pouvait être considéré comme un révélateur social. Que nous raconte le succès d'*Intouchables* sur le monde d'aujourd'hui ? Que nous dit-il de ses clivages, de ses aspirations, de ses travers, de son imaginaire ? Pour répondre à ces questions, je suis allée frapper à plusieurs portes ; celles de sociologues, d'un anthropologue, d'un homme politique, d'un psychiatre et d'une philosophe. C'est peu dire que l'impact du film les a intéressés. C'est un sujet passionnant et surprenant à bien des égards.

Sans aucun doute, cette histoire, qui a profondément marqué la société française, nous raconte une multitude de choses sur le monde dans lequel nous vivons, sur nos comportements, nos peurs, nos envies. Et si, finalement, *Intouchables* était une aventure qui ne faisait que commencer ?

CHAPITRE I

LA GENÈSE DU FILM

L'ENVIE DE FAIRE CE FILM

Olivier Nakache et Éric Toledano se connaissent depuis l'adolescence. Une passion commune les a réunis : le cinéma. Dès leurs débuts, les deux réalisateurs abordent dans leurs films des thèmes qui leur sont chers, qui les concernent et qui souvent renvoient à des souvenirs personnels. L'amitié est au centre de leur premier long-métrage, *Je préfère qu'on reste amis*. Dans *Nos jours heureux*, ils plongent dans le monde des colonies de vacances dans lesquelles ils furent moniteurs durant leur jeunesse. C'est là que leur amitié s'est soudée. Dans *Tellement proches*, les deux amis poursuivent leur exploration de la vie en groupe en analysant les relations familiales, alors qu'eux-mêmes font leurs premiers pas dans la paternité. Leur marque de fabrique reste toutefois la comédie. Mais celle qui traite des sujets de fond, à l'instar de la comédie italienne ou anglaise, leur référence.

C'est en gardant ce principe qu'est né naturellement leur quatrième film. Faire rire avec du fond. Cette fois, sur un sujet qui dépassait le cadre de leur vécu personnel.

Comment est venue l'idée d'*Intouchables* ? Inconsciemment, ce sont d'abord les souvenirs de jeunesse de deux ados qui réalisaient des petits films bénévoles pour une association d'aide aux enfants autistes, Le Silence des Justes[1], créée par leur ami Stéphane, rencontré lorsqu'ils étaient animateurs de colonies de vacances. Mais le scénario est surtout né d'une évolution. « Après deux films de groupe, expliquent-ils, nous avions le désir de nous recentrer autour de deux personnages. Les histoires qui parlent de l'amitié dans ses diverses formes nous ont toujours intéressés, et l'idée d'un duo peu envisageable a ressurgi au gré de nos réflexions. Comme des milliers de Français, nous avions été frappés, quelques années auparavant, par un documentaire sur Philippe Pozzo di Borgo et son assistant Abdel. Cet homme devenu tétraplégique à la suite d'un accident, qui gardait néanmoins un optimisme à toute épreuve, nous avait attirés par sa force et son charisme. »

Ainsi, Éric et Olivier se procurent son e-mail, tout simplement inscrit à la fin de son livre, *Le Second Souffle* (Bayard). Les deux réalisateurs lui demandent l'autorisation d'adapter sa vie au cinéma. L'homme

---

1. Une partie des bénéfices de cet ouvrage est reversée à l'association Le Silence des Justes, un centre d'accueil pour jeunes autistes et psychotiques, fondé en 1996 (www.lesilencedesjustes.fr).

■ *Philippe Pozzo di Borgo.*

souhaite les rencontrer et leur répond : « Je ne peux pas me déplacer. Venez me voir chez moi, à Essaouira. » Départ immédiat pour le Maroc où Éric et Olivier, accompagnés de leur producteur Nicolas Duval, s'installent pour quatre jours. L'entente est immédiate. « Avec Philippe, on a tout de suite discuté pendant des heures, se souvient Éric, jusqu'à trois heures d'affilée chaque jour. Il nous racontait sa vie, ses épreuves, ses bonheurs et surtout la relation inouïe qu'il a nouée avec Abdel Sellou, son auxiliaire de vie, qui l'a assisté et aidé pendant presque dix ans. » Une chose les étonne d'emblée : Philippe n'hésite pas à faire de l'humour, à tourner en dérision son handicap, à se moquer sans cesse de lui-même.

À peine installés dans l'avion du retour, Éric et Olivier se mettent à poser leurs idées. Ils savent qu'ils vont, non seulement, raconter l'amitié extraordinaire de cet homme tétraplégique et de son assistant, mais qu'ils pourront aussi se laisser aller à leur goût de la comédie : les premières pages du scénario d'*Intouchables* sont en train de s'écrire dans les airs, entre Essaouira et Paris.

■ *Tournage du court-métrage*
Ces jours heureux – 2000.

■ *Nos jours heureux — 2005.*

■ *Tellement proches — 2008.*

« C'est la première fois qu'on allait partir d'une histoire vraie, et surtout d'une histoire que nous n'avions vécue ni l'un ni l'autre. Nous sommes repartis d'Essaouira avec une certitude, cette amitié improbable comportait tout ce qui nous plaît au cinéma : une aventure hors du commun et la possibilité de la traiter avec humour... » Mais ce sujet a, dès l'origine, un autre atout pour les deux réalisateurs : la possibilité de proposer enfin un premier rôle à Omar Sy. Un comédien qu'ils considèrent comme l'un des meilleurs de sa génération, et avec lequel ils entretiennent une relation très particulière depuis plusieurs années.

« C'est avant tout l'humour qui nous réunit, nous avons été tout de suite frappés par la personnalité d'Omar, il émane de lui quelque chose d'indéfinissable, un mélange de naturel, de spontanéité et de générosité. Après un premier contact par l'intermédiaire de Jamel Debbouze qui avait joué dans notre deuxième court-métrage, *Les Petits Souliers* en 1999, nous avons pensé à lui et à Fred Testot pour le troisième : *Ces jours heureux*. On approche Omar dans le bureau de Canal Plus où il travaillait avec Fred, et on lui dit : " Ça te brancherait de jouer dans un court-métrage ? — Ouais, pourquoi pas, mais il y a un problème, c'est que je ne suis pas vraiment acteur... — Tu sais, nous, on n'est pas vraiment réalisateurs non plus..." On se marre et on se tape dans la main. Et c'est sur une vanne, si l'on peut dire, que notre collaboration a commencé. »

Omar Sy, l'enfant de Trappes, se fait connaître du grand public grâce au désormais célèbre « Service Après-Vente des émissions » qu'il écrit et tourne avec son complice Fred Testot. Après *Nos jours heureux*, qui obtient un bon succès public et critique, dans lequel Omar joue le rôle de Joseph, l'un des moniteurs de la colonie de vacances, le trio se reforme avec *Tellement proches*. L'acteur y joue un rôle différent cette fois, celui d'un interne en médecine. Et le résultat est étonnant. C'est une évidence pour les deux réalisateurs, leur quatrième film se fera, de nouveau, avec Omar. « *Intouchables*, affirment aujourd'hui Éric et Olivier, est sans doute né de l'expérience de *Tellement proches*, mais aussi de l'envie de voir Omar dans un rôle principal. »
Une fois le scénario terminé, celui-ci commence à circuler dans Paris, car il faut trouver de l'argent et des acteurs. Les financements se trouvent sans trop de problème, puis le script atterrit sur le bureau de l'agent de Daniel Auteuil, fortement pressenti pour le rôle. Après plusieurs rencontres, l'acteur donne un accord de principe. Tout est prêt pour appréhender sereinement le tournage.

TROIS JOURS DÉCISIFS

DANIEL AUTEUIL SE RETIRE DU PROJET

La veille de leur départ pour une séance de travail à Kerpape, un centre de rééducation et de réadaptation fonctionnelles situé en Bretagne, dans lequel ils doivent retrouver Philippe Pozzo di Borgo qui y séjourne un mois par an pour ce qu'il appelle sa « révision générale », Éric et Olivier apprennent que Daniel Auteuil se retire du projet. L'acteur ne se sent plus d'interpréter ce personnage et son emploi du temps chargé exclut toute préparation pour le rôle. Ce jour-là, ils comprennent que faire ce film sera peut-être plus difficile que prévu.

L'ARRIVÉE À KERPAPE

Sur le chemin de Kerpape près de Lorient, le duo est fébrile, mal à l'aise pour annoncer à Philippe Pozzo que ce refus de Daniel Auteuil compromet l'avenir du film. Comment va-t-il réagir ? Lui qui semblait flatté et fier à l'idée d'être incarné par Daniel Auteuil, va-t-il tout remettre en question ? « Nous avions le moral à zéro. » À tel point que les réalisateurs sont venus avec des renforts : Mathieu Vadepied, le chef opérateur, et Hervé Ruet, le premier assistant, les accompagnent, un peu comme si de rien n'était. Personne ne doit se douter qu'à ce moment, le projet est fragilisé.

L'équipe arrive à Kerpape, un lieu imposant, battu par les vents. Un immense bâtiment blanc face à la mer qui impressionne tout visiteur. On y croise le regard d'invalides en fauteuil qui, parfois, viennent tout juste d'arriver et d'apprendre qu'ils ne remarcheront plus jamais. Des jeunes et des moins jeunes. Des accidentés, des malades qui savent que, pour eux, il n'y aura peut-être jamais de rémission.

■ *Séjour à Kerpape en juin 2010.*
Olivier Nakache avec Philippe Pozzo di Borgo
et son fils Robert-Jean.

Éric et Olivier ravalent leur « petit souci de casting ». « Dans ce cadre, tout devient relatif. On se sent humble. Nous passons la journée avec Philippe, comme nous l'avions prévu au départ, à poser des questions au personnel, aux pensionnaires pour enrichir notre scénario. Mais nous savions que, tôt ou tard, il allait falloir annoncer la nouvelle. Juste avant de quitter la chambre de Philippe pour repartir sur Paris, nous nous sommes jetés à l'eau. Philippe nous a regardés et nous a dit : "Ce n'est pas grave pour Auteuil. On va trouver quelqu'un d'autre." Positif et philosophe, Philippe a pris l'habitude de relativiser les mauvaises nouvelles. « Nous sommes arrivés en Bretagne persuadés que le film ne se ferait pas. Nous en repartons motivés et pleins d'espoir. »

QUI FACE À OMAR ?

C'est une évidence, depuis longtemps : Omar sera Driss, le personnage inspiré d'Abdel, le fidèle assistant de Philippe Pozzo di Borgo. Mais qui donnera la réplique à Omar, maintenant que Daniel Auteuil s'est retiré du projet ?

Une seule certitude, il faut un acteur qui donne toute sa crédibilité à ce projet, quelqu'un qui formera à l'affiche un duo énigmatique, voire improbable, avec Omar. Comme lorsque l'on voit Philippe et Abdel sur une photo, le spectateur doit pouvoir se dire : « Comment ces deux-là ont-ils pu s'entendre ? »

Sur une feuille, Éric et Olivier ont écrit les noms des acteurs susceptibles de jouer le personnage de Philippe. En tête, François Cluzet. Le script part directement chez son agent. Mais pour combler ce temps d'attente toujours difficile à gérer, les deux réalisateurs décident de prendre rendez-vous avec Jean Dujardin afin de lui parler du rôle et, inconsciemment, de chercher du soutien.

Sur le chemin, la question se pose. Et pourquoi pas lui ? Comment ne pas penser à l'acteur d'*OSS 117* et de *Brice de Nice*, capable d'oser toutes les métamorphoses ? « Nous savions pourtant qu'il était trop jeune pour le rôle mais il fallait agir, ne pas rester les bras croisés. » Les deux réalisateurs le retrouvent dans un bistrot de la gare de Lyon, car l'acteur a peu de temps ; il ne dispose que d'un créneau d'une demi-heure avant un départ dans le sud de la France, après quoi il partira à Los Angeles pour tourner *The Artist*. À quelques mètres d'un quai de gare, la discussion s'engage. Rapidement, Éric et Olivier lui racontent le scénario et lui décrivent le rôle. « On lui vantait la force du

Il n'est pas si facile de trouver un acteur d'environ 40-50 ans,
capable de se transformer sans être ridicule, et de prendre une allure
aristocratique comme Pozzo di Borgo.

personnage, en évoquant la performance incroyable de Javier Bardem dans *Mar Adentro*, ou de Daniel Day Lewis dans *My Left Foot*. » Explications chronométrées, l'œil sur la pendule. Jean Dujardin les encourage. Ses paroles, son regard sur cette histoire difficile à résumer leur fait du bien, et la discussion se poursuit. « À qui avez-vous pensé ? » Il écoute attentivement les quelques noms inscrits sur la liste des réalisateurs, mais, dès le premier, l'acteur a bondi. « Les gars, c'est François qu'il vous faut ! » « Jean Dujardin aura été une étape. Il nous a confirmé une évidence : François Cluzet. »

Sur cette liste informelle d'acteurs envisagés, figuraient d'autres noms, parmi lesquels Vincent Lindon, Patrick Chesnais, Jean Rochefort et Claude Rich (« Plus âgés que le rôle, reconnaissent Éric et Olivier, mais ce sont deux comédiens que nous admirons beaucoup »). Les contraintes sont réelles. Il n'est pas si facile de trouver un acteur d'environ 40-50 ans, capable de se transformer sans être ridicule, et de prendre une allure aristocratique comme Pozzo di Borgo. « Un jour de grand délire, nous avions même pensé à John Malkovich. » Ironie du sort, Éric et Olivier retrouvent plus tard, alors qu'ils mettent de l'ordre dans leur bureau, un petit bout de papier : c'est une liste d'acteurs, établie plusieurs années auparavant pour leur premier long-métrage, sur laquelle figure, en tête, le nom de François Cluzet. Entouré au crayon rouge.

FRANÇOIS CLUZET, UN ÊTRE VOLCANIQUE

Éric Toledano et Olivier Nakache n'avaient jamais rencontré François Cluzet avant. Restait à faire connaissance. Chose facile, car depuis l'envoi du scénario, le comédien a manifesté son désir de voir les réalisateurs. On convient d'une première entrevue dans une brasserie chic du quartier de Montparnasse. « Pour nous, ce rendez-vous était notre solution de la dernière chance. On s'était mis en tête qu'il fallait le convaincre à tout prix. Nous avions dressé la liste de tous les arguments à mettre en avant pendant notre rencontre. » Dans le panthéon personnel des deux réalisateurs, l'acteur a déjà la cote, associé à jamais à Chabrol et à sa performance d'homme maladivement jaloux dans *L'Enfer.* « Nous avions aussi en tête des rôles où il sortait du lot, ajoute Éric, comme dans *Force majeure, Association de malfaiteurs, Les Apprentis* et même *L'Adversaire* de Nicole Garcia où il brillait dans un second rôle. » Pour beaucoup de connaisseurs, Cluzet est aussi un grand acteur de théâtre qui a passé des années sur les planches des grandes scènes de France. Il a déjà une carrière incroyable, malgré des hauts et des bas, quand Guillaume Canet en fait un héros quasi scorsesien dans son thriller, *Ne le dis à personne.* Le film connaît un succès amplement mérité pour cet acteur souvent jugé intransigeant, mais dont la filmographie est à l'image de son exigence, associée à de grands auteurs et à des décisions artistiques audacieuses. À cette époque, il est connu dans le métier, peut-être un peu moins du grand public. Il ne sait pas encore qu'*Intouchables* lui offrira une nouvelle popularité.

Rendez-vous est pris un matin à la Closerie des Lilas, autour d'un café. « En moins d'une minute, nous nous sommes retrouvés face à un être volcanique, passionné et complètement amoureux de son métier. Il était excité, agité, et le hasard a fait qu'il souffrait ce jour-là d'un puissant torticolis. Il avait la nuque raide et il était impossible de ne pas y voir une analogie avec la position figée de Philippe Pozzo. Son port de tête le faisait ressembler malgré lui à notre personnage, et pendant qu'il nous racontait à quel point il avait été frappé par la force des oppositions dans le scénario, nous étions tous les deux obsédés par ce mimétisme, comme si c'était un signe du destin… » Très vite, Éric et Olivier comprennent que l'homme n'a pas besoin d'être convaincu. Encore aujourd'hui, François Cluzet aime raconter cette première entrevue chargée d'électricité en évoquant le moment où il se mit à hurler : « Ce rôle est pour moi ! J'ai fait soixante-dix films, je sais reconnaître un bon scénario. »

« C'était un moment magique, se souvient Olivier. Nous avons rangé notre petite feuille d'arguments discrètement et on a commencé à parler du scénario, d'Omar, des dates de tournage. Tout d'un coup, tout redevenait possible. »

« J'ai fait soixante-dix films. » L'expression est restée. Depuis ce jour, les deux réalisateurs ne cessent de chambrer Cluzet. Sans le savoir, ce fut aussi un moment prémonitoire. François Cluzet dit alors une phrase qu'ils ne retiennent pas sur le coup. Ils s'en souviendront plus tard, étonnés par la force de l'intuition de l'acteur à ce stade du projet. « Avec ce film, soit on ira très bas, soit on ira très haut. »

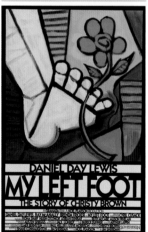

COMMENT FILMER LE HANDICAP ?

Raconter l'histoire d'un tétraplégique et d'un banlieusard paumé, au départ, peu de gens y croyaient. « Quand on évoquait le sujet du film, on voyait bien leur tête, leur réaction dépitée ou négative. Nous-mêmes évidemment, on avait des doutes. Il faut bien reconnaître qu'un fauteuil roulant n'est pas le plus facile des objets à filmer et, très vite, on a décidé d'un commun accord de ne plus raconter le sujet de notre prochain film, surtout pour ne plus avoir à répéter : non, même à la fin il ne remarche pas ! »

Le cinéma va aussi les aider à tempérer leurs hésitations et leur servir de source d'inspiration. « Nous avons regardé des films qui nous ont aidés à dépasser certains côtés sombres ou trash. » Aux côtés de François et Omar, ils visionnent *My Left Foot* de Jim Sheridan avec Daniel Day Lewis, *Rain Man* de Barry Levinson avec Dustin Hoffman, *Le Scaphandre et le Papillon* de Julian Schnabel avec Mathieu Amalric. Chaque fois des performances d'acteurs.

Éric et Olivier s'appuient aussi beaucoup sur leur amour du cinéma italien. Tous deux ont une passion commune pour *Parfum de femme* de Dino Risi où Vittorio Gassman joue un homme aveugle et acariâtre, mais capable de sentir la présence des femmes et de deviner leur couleur de cheveux ! « Ce film est une véritable référence pour nous. C'est drôle, émouvant, il y a de l'humour et le tout est transgressif. » *Le Voleur de bicyclette* de Vittorio De Sica était également en permanence dans leur tête. « Faire rire avec des drames, les Italiens savent tellement bien faire cela. »

Le goût du dialogue, des situations, la passion pour la comédie, telle est leur manière de vivre le cinéma, mais avec un impératif constant : faire en sorte que le spectateur ressorte nourri, enrichi.

UN SÉMINAIRE D'INTÉGRATION À ESSAOUIRA

Chaque acteur pressenti pour le rôle de Philippe avait été prévenu : avant de commencer le tournage, ils devront se soumettre à une exigence : rencontrer Philippe Pozzo di Borgo chez lui, à Essaouira. Une condition non négociable pour les deux réalisateurs : « C'était une sorte de séminaire d'intégration, comme dans les grandes entreprises. » En dehors de la volonté de voir se côtoyer deux personnes qui ne se connaissent pas du tout, l'idée était aussi d'observer les réactions des uns et des autres. Ce sera donc à l'aéroport d'Orly qu'Omar Sy et François Cluzet se verront pour la première fois. Drôle d'endroit pour une rencontre. D'autant plus que la journée commence sous de mauvais auspices : le matin du départ, on apprend la mort de Claude Chabrol. Au comptoir d'enregistrement, François Cluzet arrive avec un visage miné par la tristesse. « On s'est dit que tout cela démarrait mal. Pourtant, nous allions vivre un truc de fou pendant trois jours. Un moment rare, intense. »

Tout le monde se déride lorsqu'Omar débarque à son tour, assailli par les passagers qui l'ont reconnu. Première poignée de main entre Omar et François. Les deux acteurs se toisent et semblent s'apprécier rapidement. Il faut dire que l'agitation ambiante peut faire sourire. Une foule suit Omar pas à pas. Même les policiers à la douane réclament son autographe. François Cluzet prend alors la mesure de la popularité de son futur partenaire, qu'il avait peut-être sous-estimée jusque-là.

Raconter l'histoire d'un tétraplégique et d'un banlieusard paumé, au départ, peu de gens y croyaient. Quand on évoquait le sujet du film, on voyait bien leur tête, leur réaction dépitée ou négative. Nous-mêmes évidemment, on avait des doutes.

Embarquement pour le Maroc, direction Essaouira, la ville en bord de mer où vit Philippe Pozzo di Borgo avec son épouse. Dès l'atterrissage, Éric, Olivier et Omar sont surexcités. Le projet sur lequel ils travaillent depuis presque deux ans commence enfin à se concrétiser. Dans la bonne humeur, le trio fait connaissance avec François et très vite, le courant passe. « Tout s'est fait avec simplicité, nous l'avons approché et intégré par le rire. Car c'est un homme très drôle, qui a une vraie capacité à se moquer de lui-même. »

Omar, François, Éric et Olivier arrivent dans un hôtel d'Essaouira où ils vont passer trois jours pour rencontrer celui qui a inspiré le film. Une fois les bagages posés, tout le monde part à la rencontre de Pozzo.

Un moment important, car François et Omar devront observer et écouter ses moindres gestes et paroles. Ils ne savent pas encore qu'ils vont vivre un moment qui va les souder. Et qu'ils démarrent ensemble une aventure qui les mènera très loin et qui va considérablement changer le cours de leur existence.

Philippe Pozzo habite dans un beau ryad, à la périphérie d'Essaouira. Avec sa chaleur et son élégance habituelles, il accueille les deux acteurs et les deux réalisateurs, ainsi que Nicolas Duval, leur producteur historique, qui les a rejoints. François et Omar découvrent et dévisagent cet homme dont ils vont devoir jouer l'histoire. Son comportement, sa vie, ses anecdotes, tout les inspire pour construire leurs futurs personnages. Ils observent, ils écoutent, et pour s'apprivoiser parlent de choses très anodines, évoquent les performances des téléphones portables, comme s'ils hésitaient à entrer d'emblée dans le vif du sujet. Peu à peu, on commence à parler plus concrètement du film. François sait qu'il devra rester immobile pendant tout le tournage. Jouer avec son visage, à partir de ses seules expressions, de son regard, ce défi le stimule. Il questionne Philippe sur des détails, des postures. Et surtout, il le scrute attentivement. La discussion se poursuit un long moment, à bâtons rompus. François et Omar sont visiblement impressionnés.

Au moment de passer à table, une chose étonnante se produit : Omar prend naturellement la cuillère pour donner à manger à Philippe. Le geste lui est venu comme un réflexe, comme s'il l'avait toujours fait. « Du coup, Olivier a donné à manger à François, tout le monde s'est marré, le ton du film était donné. »

Éric et Olivier sont confiants. « Après ces trois jours passés tous ensemble au Maroc, nous n'avions plus aucun doute. Nous savions que le courant passait très bien entre Omar et François. Et qu'ils avaient tous deux compris l'essentiel de la relation singulière qu'ont vécue Philippe et Abdel pendant plus de dix ans. »

●

■ *Septembre 2010, première rencontre à Essaouira, au Maroc, entre les réalisateurs, Éric Toledano et Olivier Nakache, les acteurs, François Cluzet et Omar Sy, et Philippe Pozzo di Borgo.*

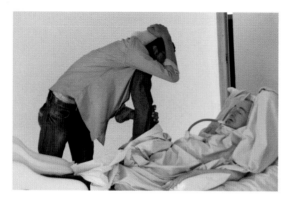

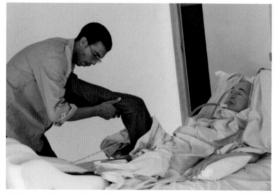

■ *François Cluzet et Omar Sy se sont beaucoup inspirés des gestes de Philippe Pozzo di Borgo et de Hicham, son nouvel auxiliaire de vie au Maroc.*

■ *Première rencontre entre Omar Sy et François Cluzet à Essaouira en septembre 2010.*

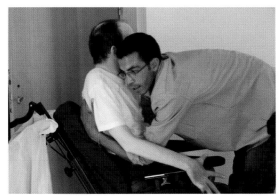

La reconquête du courage

J'ai interviewé Cynthia Fleury lors d'une célébration du 18 juin 1940 à Londres pour une émission de radio. C'était à l'occasion de la sortie de son livre, qui en a marqué plus d'un à l'époque, *La Fin du courage* (Fayard, 2010). Elle y dénonçait le renoncement généralisé des politiques et la tendance actuelle des individus à courber silencieusement l'échine. À chaque interview, quel que soit le sujet, j'étais bluffée par la subtilité et l'intelligence de cette jeune et belle philosophe. Il n'est pas étonnant que ce professeur de philosophie politique à l'université américaine de Paris, enseignant-chercheur, se soit intéressée à ce « film sur la reconquête du courage ».

« Il est évident, dit-elle, qu'*Intouchables* a joué un rôle d'apaisement dans un monde anxiogène. Il énonce finalement un message rassurant dans notre société où tout paraît toujours si codé et planifié, où l'on est continuellement assigné à résidence en fonction de son milieu social ou de ses idées. C'est sans doute l'une des premières raisons de son succès: on se dit que les barrières peuvent bouger, que la société n'est pas totalement figée et qu'elle peut se transformer. Le terme même d'*Intouchables* joue de sa polysémie. Déclassé ou nanti, les deux personnages demeurent irréductibles. »
Dans une société sous tutelle permanente, où tout semble bloqué sous la chape du déterminisme, *Intouchables* offre une bouffée d'oxygène.

C'est aussi un film sur le courage; bien qu'au début il y ait une lassitude, un côté « no future » chez les deux individus, très vite les héros reprennent espoir. « C'est un film sur la reconquête du courage à deux, chacun ayant à affronter l'ordinaire de sa vie et ses blessures. »

En ce sens, son histoire « revitalise certains mythes anciens », comme celui du « on a toujours besoin d'un plus petit que soi », même si, reconnaît Cynthia en souriant, dans ce cas celui qui répond à ce besoin est le plus grand. « Chacun est, pour l'autre, celui qu'on n'attend pas. La force du film tient aussi à cette mise en avant des vertus et des leçons de l'inattendu. » On comprend mieux dès lors pourquoi ce film a autant attiré de spectateurs peu habitués à entendre ce genre de discours; dans une France que l'on décrit souvent comme conservatrice, il est rare que l'imprévisible soit associé à des valeurs positives.

Lorsque je lui demande ce qui, selon elle, explique un tel succès, elle met en avant trois points importants: « Primo, le film sous-entend que l'argent ne suffit pas à faire le bonheur. Il facilite la vie, certes, mais *Intouchables* raconte l'histoire d'un décentrement; on a toujours besoin d'un tiers et l'argent ne peut se substituer à cet autre. Secondo, c'est un roman d'apprentissage réciproque: chacun, grâce à l'autre, va se transformer et jouir de la vie plus intensément. Tertio, de manière plus anecdotique et ludique, mais cela fait aussi le succès de l'instant cinématographique, il y a dans le film un côté *Pretty Woman* pour hommes. Un côté avant/après: Cluzet a trouvé sa princesse en Sy, il le sort de la banlieue, l'habille, l'initie à l'art, et jubile devant son apprentissage et sa désinvolture. Il y a du paternalisme et de la déconstruction. Ça plaît toujours. » Le personnage d'Omar Sy lui paraît également particulièrement important. « Il donne une autre image de la virilité, analyse-t-elle. Le duo n'est pas neutre, bien entendu, dans ce qu'il nous donne à voir. C'est une autre esthétique de la France. Omar Sy, c'est l'anti-Français de souche, noir, athlétique, jeune et souriant, qui devient le plus français d'entre nous. Pouvoir, de façon évidente, s'identifier à ce grand gaillard au rire généreux, c'est la magie du cinéma, et la vérité de la société actuelle. Il offre l'image d'une nouvelle France par un processus d'identification régénérant. Du boulanger à l'énarque, tous peuvent s'identifier à lui. En cela, c'est un film qui ouvre grand les fenêtres d'un pays crispé sur ses élites et meurtri par sa ghettoïsation sociale. »

De façon plus générale, la philosophe avoue avoir apprécié le fait que les deux personnages évitent la victimisation. « Ce sont deux identités irremplaçables, dit-elle, deux êtres singuliers. Ils sont un peu comme La Boétie et Montaigne, *parce que c'était lui, parce que c'était moi.* C'est aussi ce qui redonne courage, car cela signifie que chacun de nous est irremplaçable. »

Enfin, concernant l'impact du film à l'étranger, elle évoque la prime au succès. La curiosité de découvrir ce qui a tant plu aux Français a beaucoup joué, et elle a été soutenue par un important travail de communication. Cette exportation du film participe aux grands rituels de la mondialisation qui sont un phénomène nouveau, lié à la consommation de produits culturels de masse (*Star Wars, Harry Potter, Millenium*). « On partage ainsi dans une société qui partage si peu », conclut-elle.

CHAPITRE II

RÉALISER À DEUX

Après seulement trois films, Éric et Olivier réalisent *Intouchables* qui dépasse très vite le cadre du cinéma pour devenir un phénomène de société. Comment y sont-ils parvenus ? Qu'y a-t-il dans leur parcours qui pourrait expliquer cette trajectoire fulgurante ? Je n'y vois aucune recette secrète, mais plutôt une bonne part de talent et une science particulière de l'écriture. *Intouchables* est indéniablement une histoire de rencontres, de duos : Philippe/Abdel, François/Omar, Éric/Olivier. Mais c'est aussi le fruit d'une complicité et d'un travail en tandem parfaitement rodé.

UNE HISTOIRE D'AMITIÉ

Avant d'être un duo de réalisateurs, Éric et Olivier sont deux amis de longue date, et leur histoire est d'abord celle de deux adolescents issus d'un même milieu. Olivier a grandi dans une cité de Puteaux, Éric dans la banlieue ouest de Paris. Pendant que l'un usait les fauteuils orange des cinémas de La Défense, l'autre passait ses week-ends dans les salles du Cyrano à Versailles et les deux dévoraient, les yeux écarquillés, les films de Spielberg, de Scorsese ou de Sergio Leone, sans oublier les comédies populaires françaises avec Depardieu ou Belmondo. Mais, derrière l'image publique de deux passionnés de cinéma, se cachent aussi deux vieux amis qui, adolescents, se plongeaient dans les livres d'Elie Wiesel, de Romain Gary, de Paul Auster ou encore de John Irving.

UNE PASSION D'ADOLESCENCE

Si la famille est un socle, celle que l'on décide de se créer a aussi son importance. C'est au sein d'un mouvement de jeunesse que les deux adolescents se rencontrent. Tout juste sortis du bac, l'un se dirige vers des études de kinésithérapie à la Salpêtrière, l'autre vers les sciences politiques à la Sorbonne Paris I. Le cinéma n'est encore qu'un rêve lointain.

Olivier fait partie de ce qu'il appelle « la génération magnétoscope ». « Avec ma sœur Géraldine[1], nous étions des acharnés du magnétoscope. On voyait et revoyait sans cesse les films. Puis le Graal est entré dans notre appartement, un soir de 1986 : un décodeur Canal Plus. Je ne loupais aucun film de la séance du vendredi à 23 heures.

---

1. Qui est aujourd'hui comédienne et a réalisé deux films, *Tout ce qui brille* et *Nous York*.

Je devais alors attaquer une solide négociation avec mes parents qui voulaient voir, à la même heure, Nicolas Hulot nager dans un volcan ou faire du parapente avec les canards. »

Éric, de son côté, est plongé dans les manuels de sciences politiques, mais dans son Walkman autoreverse dernier modèle, il écoute tous les matins, dans le trajet du RER C entre Viroflay-Rive-gauche et Saint-Michel-Notre-Dame, les dialogues des films qu'il a enregistrés sur cassette. À la sortie de la fac, il retrouve Olivier, qui le rejoint chaque soir dans un café de Saint-Germain-des-Prés pour parler cinéma.

RÉALISER ENSEMBLE

À cette époque, ils ont écrit plusieurs courts-métrages, mais il n'est pas encore possible de faire un film avec son téléphone portable. Il faut passer par des loueurs de matériel et des sociétés de production. « Nous avons pris les choses dans l'ordre, de façon méthodique : nous sommes allés au CNC (le Centre national du cinéma et de l'image animée) prendre la liste de toutes les productions de courts-métrages et, naïvement, nous avons envoyé le scénario de notre premier court à tout le monde, soit 99 scénarios au total ! En plus des refus en série, nous avons échappé à quantité d'arnaqueurs en tous genres. On est même tombés sur un type qui, avec une incroyable assurance, nous demandait une avance de cinquante mille francs en espèces pour louer du matériel ! Un seul a bien voulu nous prendre en ligne, Jérôme Vidal de Quo Vadis Cinéma, à qui on a tellement pris la tête, qu'il a dû se dire : "Bon, leur court-métrage est bancal mais ils sont tellement tenaces que je vais les héberger dans ma production." »

Olivier garde un souvenir de ces années encore empreint de l'énergie et de l'adrénaline qui l'animaient alors : « Je passais mon temps à courir. Le jour, j'étais à la fac pour mes cours de kiné. Le soir, j'enchaînais les petits boulots en tant que DJ pour gagner un peu de sous. Quand je sortais de la fac, je courais rejoindre Éric au café où nous griffonnions sur une feuille les dernières idées du jour. Ensuite, on allait voir des films au cinéma des Gobelins ou de Saint-Michel. J'en ai eu assez de ce rythme effréné, en plus je voyais bien que je préférais me faire masser que masser les autres ! Je commençais surtout à sentir que ma priorité, c'était le cinéma. J'ai fini par abandonner mes études. Un jour, je suis sorti d'un cours de chimie minérale des os et je ne suis jamais revenu, je m'en souviens encore. J'ai même laissé mon sac en classe, il doit toujours être dans une des salles de la Salpêtrière. D'ailleurs, si quelqu'un l'a retrouvé, j'aimerais bien récupérer ma gomme ! » Décisif également, le jour où Éric, alors en troisième cycle, décide à son tour, au milieu d'un cours de droit public, de faire passer le cinéma avant ses études de sciences politiques.

À l'époque, les deux amis écument tous les soirs les cafés-théâtres, les ligues d'improvisation et les scènes ouvertes, à la recherche de comédiens talentueux pour jouer dans leur court-métrage. C'est ainsi qu'ils rencontrent Gad Elmaleh, qui est lui aussi à l'aube de sa carrière. « On était allés le voir à la sortie du Théâtre Trévise, où il jouait son premier spectacle. Nous lui avons proposé de jouer dans notre second court-métrage, il nous a tout de suite donné son numéro de portable alors qu'il ne nous connaissait pas. Chacun démarrait dans la vie et les choses se faisaient avec simplicité. » À l'issue de leur rencontre, Gad Elmaleh leur dit : « Elle est top votre histoire. Vous connaissez Jamel Debbouze ? Il pourrait faire un des rôles. Allez le voir de ma part… »

Et c'est ainsi que Gad Elmaleh et Jamel Debbouze se sont retrouvés au générique d'un court-métrage, devenu culte depuis pour les fans, *Les Petits Souliers*, dont l'histoire est inspirée d'une expérience vécue. Celle d'un petit boulot de Père Noël à domicile, le soir du 24 décembre. Au générique, figurent les noms des futurs talents du cinéma français : Roschdy Zem, Gilbert Melki, Atmen Kelif et une fidèle qui sera ensuite de presque toutes les aventures, la comédienne Catherine Hosmalin.

Éric et Olivier se souviennent avec émotion de ces années de courts-métrages, un genre qui est d'ailleurs pour eux la meilleure école pour

■ *Quai de Valmy en 1998*
sur le tournage du court-métrage
Les Petits Souliers.

devenir réalisateur. Grâce à ces expériences, ils ont appris les ficelles du métier, se sont familiarisés avec la mise en scène, la direction d'acteurs et la gestion des contraintes d'un véritable tournage. Ils ont, de surcroît, rencontré de nombreux talents avec lesquels ils ont découvert les rouages d'une profession pas comme les autres.

Nicolas Duval, leur producteur depuis dix ans, se souvient de leur première rencontre : « C'était en 2003, ils n'avaient pas trente ans. J'étais face à deux jeunes auteurs de courts-métrages qui semblaient piaffer d'impatience à l'idée de faire un film. Ils avaient encore une connaissance approximative de la technique cinématographique, des travellings et des zooms, mais entre eux les dialogues fusaient et ils étaient déjà d'excellents directeurs d'acteurs. Éric et Olivier sont à la fois semblables et différents, c'est leur force. S'ils ont une culture commune, des origines méditerranéennes qui les rapprochent, et sont issus du même milieu social, Olivier est très instinctif, plus discret, réservé sans être timide. Éric, lui, est plus cérébral, parfois presque mystique. Le succès d'*Intouchables* a été vraiment surprenant, parfois même presque un peu violent, et Éric et Olivier s'interrogeaient beaucoup sur le sens d'une telle aventure. »

Au bureau, ils se sont installés face à face, à la même table. « Comme les teams de créatifs dans la pub », précise Nicolas Duval, qui est aussi producteur de publicité. « Ils sont les clients l'un de l'autre, c'est une stimulation permanente. »

Leur méthode ? Ils font un plan ensemble, écrivent chacun une scène, puis se l'échangent et partagent leurs premières impressions. « Tout part des situations, disent-ils. On lance une vanne, on voit si l'autre réagit ou pas. La priorité est avant tout donnée aux scènes de comédie et aux dialogues. En fait, le scénario de départ ressemble plutôt à une succession de scènes mises bout à bout. Ensuite, c'est comme si l'on mettait de la colle entre elles. Les murs du bureau sont recouverts de post-it. Le dialogue vient de la scène. Cela peut avoir un côté bordélique. Une fois ce travail effectué, on range la chambre. En littérature, beaucoup d'écrivains racontent que leurs premiers manuscrits comptent beaucoup plus de pages que la version finale. Mais, alors même que la taille de l'ouvrage a été réduite, l'essence des pages disparues reste présente dans le corps du texte et dans la chair des personnages. On serait plutôt de cette école, plus que de celle du talent inné. Finalement on passe par plusieurs étapes afin d'essayer d'en tirer une substance. » Nicolas Duval se dit très admiratif de cette manière de travailler et de leur amitié fusionnelle. « Ils sont comme des jumeaux. Et je sais de quoi je parle, car j'en ai deux. Éric et Olivier se comprennent à demi-mot. » Leur producteur trouve les tournages avec eux fascinants. « C'est un métier *a priori* égocentrique, qu'ils exercent, eux, dans une fusion absolue. Contrairement à d'autres duos de réalisateurs, les rôles ne sont pas déterminés à l'avance, on ne sait jamais lequel des deux va aller parler aux acteurs, ou dire "moteur, action !". Ils se partagent totalement la mise en scène. Tout est très préparé en amont, pour laisser la place à l'improvisation et les différends sont assez rares. »

UN PARRAIN DE CINÉMA, GÉRARD DEPARDIEU

Pour leurs premiers pas dans le cinéma, Éric et Olivier ont eu la chance d'avoir un grand acteur à leurs côtés, qui se révélera être un parrain précieux, jamais avare de conseils. Le hasard, disent-ils, s'est invité plusieurs fois dans leur vie, pour leur plus grand bonheur.

Comment imaginer que deux jeunes auteurs novices aient pu convaincre la plus importante star française de jouer dans leur premier film, l'immense Gérard Depardieu ? « Quand nous avons

donné le scénario de *Je préfère qu'on reste amis* à Depardieu, nous n'avions à notre actif que trois courts-métrages. Qui aurait pu croire qu'il nous donnerait rendez-vous pour nous rencontrer ? »

Éric et Olivier avaient déjà obtenu l'accord de Jean-Paul Rouve. Le comédien, qui vient de recevoir un César pour *Monsieur Batignole*, démarre le tournage de *Podium*. Tout semble lui sourire. À peine sorti de l'expérience des « Robins des Bois » sur Canal Plus, les propositions affluent. Il a connu Depardieu sur le tournage de *RRRrrrr!!!* et facilite ainsi la mise en relation avec Éric et Olivier en leur donnant le numéro de téléphone de Gérard.

Au bout du fil, les réalisateurs reconnaissent la voix légendaire de l'acteur : « Pas le temps. Je pars à Tokyo demain ! », leur dit Depardieu. Éric et Olivier jouent alors leur va-tout : « Et si on vous apporte le scénario à l'aéroport ? » Il accepte. Quelques jours après son retour du Japon, Depardieu rappelle les deux auteurs pour leur dire : « Venez me voir sur mon tournage ! », sans préciser toutefois s'il a apprécié le script ou s'il est d'accord pour le rôle. Depardieu tourne alors, dans une ambiance houleuse, une adaptation de San Antonio. Éric et Olivier patientent devant une caravane, lorsqu'ils entendent une voix qui tonne : « Ils sont où les deux cons ? » « On était forcément impressionnés, devant nous avançait Cyrano, Christophe Colomb, Danton, un acteur qui avait été dirigé par Bertolucci, Rappeneau, Sautet, Pialat, Berri, Truffaut et tant d'autres… » Olivier, une pile de DVD sous le bras, avance timidement : « On vous a apporté nos courts-métrages. » La réponse fuse : « Je ne vois déjà pas mes propres films, alors comment veux-tu que je regarde tes courts-métrages, mon gars ! » Et dans un grand éclat de rire, Depardieu leur dit : « Rendez-vous chez moi, dimanche à 14 heures, pour une lecture. Et après, on discutera. » Sans donner, là encore, d'indication sur un éventuel intérêt pour leur scénario.

Impossible d'en savoir plus, mais rendez-vous est pris dans l'hôtel particulier de l'acteur. S'y déroule alors une scène d'anthologie, un show qu'ils gardent en mémoire avec émotion et nostalgie.

« Lequel de vous deux sait faire du café ? », lance Depardieu pour démarrer. Éric se dévoue. « Nous étions comme au spectacle. Lui, immense, debout, lisant le scénario. Il avait carrément décidé de jouer tous les personnages, et pas seulement son rôle ! Il donnait de la voix, mimait les expressions, variait les nuances : avec Jean-Paul Rouve, on le regardait, on était déjà au cinéma. Arrivé à la fin de la dernière scène, il referme le scénario et nous dit : "On fera ça en janvier." Nous étions littéralement scotchés. »

Encore aujourd'hui, Éric et Olivier se disent bluffés par la générosité et la simplicité de l'acteur. « C'est un des plus grands. Il aurait pu se contenter de son rôle mais il n'a cessé de s'intéresser au film et à Jean-Paul Rouve qui lui rappelait Patrick Dewaere. "Je vais lui donner la lumière, comme Gabin l'a fait pour moi", disait-il. Très peu d'acteurs acceptent de mouiller ainsi leur chemise avec des débutants. On nous avait raconté tellement d'histoires de plateau sur Depardieu. Tant de gens nous avaient mis en garde en nous disant qu'il était ingérable, qu'il allait nous bouffer. Même les assurances refusaient de le prendre en charge sur les tournages. Mais dès le début ça a fonctionné, et on ne s'est pas posé de questions. Nous n'avions rien à perdre. Pour une première expérience de cinéma, nous avions un parrain hors du commun. » Quand ils égrainent leurs souvenirs, les deux réalisateurs se retrouvent autour d'un même moment marquant, le jour où Depardieu leur a laissé un message de félicitations pour *Intouchables*. « Au moment de la sortie du film, on a reçu des dizaines d'appels et de sms. Mais le sien fut l'un des plus touchants. Sur le message téléphonique, on entend la voix sonore de Depardieu : "Ne vous séparez jamais. Restez ensemble. Y avait vraiment que deux mecs comme vous pour faire ce film." Et d'ajouter, dans un grand éclat de rire : "Et dites à Cluzet de ne plus accepter que des rôles assis ou en fauteuil !"»

■ *Tournage du film* Je préfère qu'on reste amis, *2004.*

Un conte de fées qui fait l'éloge de l'empathie

Serge Tisseron est un psychiatre cinéphile.
Il ne s'en cache pas, il est passionné par le cinéma et écrit régulièrement des articles et des livres sur le 7e art. De la même manière qu'Hitchcock et Tintin avaient retenu son attention, il a consacré un chapitre entier de ses *Fragments d'une psychanalyse empathique* (Albin Michel, 2013) aux personnages d'*Intouchables*.
Des personnages emblématiques, d'après lui, de cette invitation à l'empathie. Dans son bureau, il me parle avec enthousiasme de la notion d'empathie mutuelle et réciproque à laquelle il est très attaché, et qu'il a retrouvée incarnée sur grand écran. Premières impressions sur le film? « C'est un conte de fées, dit-il. Un conte qui efface les contraintes sociales et qui gomme les aspérités de la réalité quotidienne.

« On voit, certes, un handicapé, mais pas dans les situations qui font le quotidien de tous les handicapés, lorsqu'ils ne peuvent pas entrer dans un lieu par exemple. C'est sans doute pour cela que ce film rend heureux. Et surtout, c'est une histoire vraie. Non seulement c'est formidable, mais en plus, si cela peut se produire réellement, quelle aubaine! Lorsque surgissent au générique de fin les images des "vrais" héros, on est encore plus bouleversés. On a tous tellement envie de croire aux contes de fées. »
Un film qui rend heureux. C'est la remarque qui revient sans cesse dans la bouche des spectateurs à la sortie du film. On se réjouit de voir que les contes de fées se réalisent parfois. « De là à parler de film thérapeutique, il ne faut

pas exagérer non plus », plaisante Tisseron. En revanche, il reconnaît au film sa capacité d'éveil: « Il y a un aspect éducatif qui peut nous rendre capables d'améliorer notre rapport aux handicapés. »

Mais pour lui, ce qui fait la force du film, ce qui explique qu'il parle à tous, c'est le refus de la pitié et la force de l'empathie présente dans l'histoire. « Je reconnais un mérite à ce film, c'est de nous réveiller de longs siècles durant lesquels la pitié fut institutionnalisée, c'est un film qui vous fait sortir de cette ornière. » La pitié, sacralisée par la religion, est le meilleur moyen d'affirmer sa supériorité: le riche sur le pauvre, le valide sur le handicapé. Mais dans *Intouchables*, on valorise l'échange mutuel, l'empathie réciproque. Pour Tisseron, ce n'est pas un hasard si une simple phrase a marqué, le fameux « Pas de bras, pas de chocolat ! » « Si cette phrase résonne à ce point en nous, dit-il, c'est qu'elle balaie d'un coup plusieurs siècles de tradition judéo-chrétienne durant lesquels la pitié laissait peu de place à l'empathie. »

Si le film a touché autant de gens, ajoute-t-il, c'est aussi parce qu'il est en phase avec une réelle évolution de la société: « Nous sommes de plus en plus en quête de relations nouvelles, en demande de situations où l'intérêt particulier cesse de nuire à l'intérêt général. On souhaite mieux répartir les richesses. C'est une aspiration forte. Elle se manifeste par de nombreuses initiatives, comme le covoiturage. Nous voulons réinventer la vie dans nos sociétés occidentales,

changer de logique pour privilégier l'entraide, la solidarité, la compassion, car on sent bien que le système actuel, fondé sur le modèle darwinien, a ses failles. C'est une tendance que l'on observe partout, c'est pourquoi ce film parle au monde entier. »

Depuis des années, Tisseron réfléchit aussi aux questions liées à la résilience. Qu'évoque alors pour lui la figure d'un homme qui a élaboré sa philosophie de vie en bravant les difficultés ? Celles du handicap pour Philippe, celles de l'enfance pour Driss. « L'idée que la gravité des expériences vécues forgerait le caractère est omniprésente dans l'imaginaire et dans les contes, répond-il,

mais elle ne se vérifie pas en psychanalyse. Dans les jeux vidéo par exemple, chez Tolkien ou dans de très nombreux récits, les échelons et les épreuves à franchir sont censés vous faire devenir de plus en plus fort. Or, il y a des expériences qui peuvent vous détruire, même si certaines vous font grandir.

« La douleur ne rend pas plus fort. C'est plutôt le fait d'être aidé dans ces difficultés qui va vous rendre plus fort. Je ne sais pas s'il existe des individus plus "éveillés" que d'autres, ou ayant accédé à une certaine forme de sagesse, en tout cas, il existe sans doute des personnes "éveillantes", mais cela n'a rien à voir avec le handicap ou les difficultés traversées. »

CHAPITRE III

LES MOMENTS FORTS DU TOURNAGE

UN CAHIER D'INFLUENCES

Pour la préparation du tournage, Éric et Olivier ont travaillé plusieurs semaines avec leur chef opérateur sur un dossier de référence : un volumineux recueil de photos en tous genres, découpées dans la presse ou prises à la volée lors des repérages. Leur volonté était de recenser avec précision les ambiances, les couleurs et les textures souhaitées.

« Nous avons fait un important travail en amont avec notre chef opérateur, Mathieu Vadepied, d'autant plus intéressant que nous ne partagions pas forcément les mêmes références cinématographiques au départ. » Cette collaboration a été à l'image de la rencontre des deux personnages principaux d'*Intouchables* : venant d'univers opposés, ils se sont nourris chacun de la force et de la richesse de l'autre.

Mathieu Vadepied a été très influencé par Maurice Pialat, il a été son assistant sur le film *Van Gogh,* avant d'être le chef opérateur de Jacques Audiard, notamment pour le film *Sur mes lèvres,* ce qui lui a valu une nomination aux César. Il a également travaillé avec le cinéaste primé à Cannes, Idrissa Ouedraogo. Mais il vient de l'école des documentaires et se sent aussi très proche du travail de Raymond Depardon de qui il a été l'assistant.

Mathieu est un personnage calme, presque introverti. Il parle lentement, et semble prendre le temps de peser chaque mot pour affiner sa pensée. « Cette absence de références communes, explique-t-il, était en fait une valeur ajoutée, une sorte d'alliance des contraires. » Pour les réalisateurs, ce fut une confrontation, mais aussi une réunion, autour d'une idée en particulier : la simplicité s'atteint avec un maximum de travail et de sophistication. Chaque cadre, chaque couleur, celle d'un mur ou d'un vêtement, chaque détail doit être pensé et réfléchi. Mathieu Vadepied proposera d'endosser trois rôles d'un coup : celui de chef opérateur, de cadreur et de directeur artistique. Une solution originale et assez inédite sur un tournage, qui va donner au film une véritable exigence esthétique.

Pendant trois mois avant le tournage, Mathieu travaille donc avec les deux réalisateurs à la préparation du film. Ils élaborent ensemble un document de travail, une sorte de « dossier artistique », dans lequel les directions principales sur les ambiances lumineuses, les choix des cadres et les principaux décors seront réunis. « Avant de démarrer,

■ *Avec Mathieu Vadepied, le chef opérateur.*

dit-il, on s'est posé beaucoup de questions sur les cadrages car il fallait tenir compte des deux personnages à l'écran, un grand et un petit, ou plutôt l'un debout et l'autre en fauteuil. » Comment les filmer ? Comment les faire tenir dans le même plan ? « Nous avons eu beaucoup de conversations sur la mise en scène, nous avons revu des films, fait des essais avec différentes hauteurs de fauteuil, et avons tenté puis abandonné le scope, trop contraignant. » À chaque fois, ce sont de vrais choix de mise en scène qu'ils font avec une ambition commune : « L'important est de respecter une grammaire filmique, où chaque plan, dans sa construction, apporte une signification à l'histoire. Où l'esthétique découle de la recherche de sens. Avant le tournage, nous nous sommes attablés et nous avons procédé à un découpage du scénario scène par scène, en discutant des intentions et en optant pour des choix de réalisation. »

Des partis pris, un point de vue. La philosophie globale consistait, pour le groupe, à essayer d'apporter une vraie tenue artistique à la comédie, genre quelque peu « méprisé » en France par les cinéphiles. Le trio, qui pouvait sembler hybride, trouve ainsi un mode de collaboration original et enrichissant.

L'une des scènes les plus compliquées à filmer fut sans doute celle du début du film. La séquence se déroule sur une autoroute, et, pour la tourner, l'équipe fut mobilisée plusieurs nuits, parfois par moins dix degrés. « On s'est demandé comment nous pouvions commencer l'histoire. Comment la mise en scène pouvait nous aider à faire comprendre l'enjeu du film ? », raconte Mathieu. La première image compte bien sûr plus que tout, et il était impensable de filmer cette scène comme une classique séquence de poursuite en voiture à la *Jason Bourne*. « On a choisi d'être d'emblée dans l'intériorité des personnages, grâce aux nombreux gros plans qui apparaissent dès les premières secondes du film. Puis la voiture démarre en trombe. Nous voulions à tout prix réussir à raconter avec le moins de plans possible, afin de garder l'essence de l'intention. »

Pour la scène dans laquelle Omar passe une partie de la nuit avec ses amis en bas de son immeuble, le choix fut celui des ellipses, ce qui permettait de montrer le temps qui passe, et de voir Omar de plus en plus seul. La caméra était en permanence située à distance, pour signifier la réflexion, le recul que Driss prend alors sur lui-même.

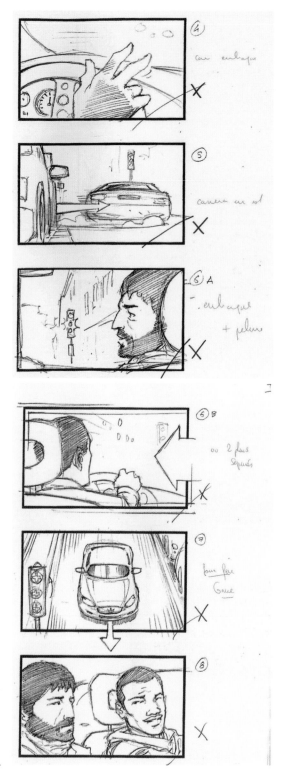

■ *Storyboard de Frédéric Rémuzat,*
scène d'ouverture : poursuite en voiture.

J1

Maserati : GIC + Fauteuil /coffre

Philippe : +Barbe - App. respiratoire

1   **INT-EXT / NUIT / MUSIQUE CLASSIQUE**   *Driss : diam - Montre (portable) pas Casque*

(Larguetto, Frédéric Chopin)

PRE-GENERIQUE

1   Sur une musique classique assez lente, au milieu des rues
parisiennes, une Maserati noire roule sur le boulevard Saint-
Germain.

2   Au volant, DRISS, jeune black, la trentaine, sweat à capuche,
sous une veste en cuir, diam's planté dans l'oreille gauche.
3   À ses côtés, PHILIPPE, élégant, barbe épaisse, la
cinquantaine passée, chemise, veste de costume, le regard
vide, il observe la route et les voitures qui défilent.

4   DRISS donne brusquement un violent coup d'accélérateur et
déboîte sur une voie de bus. Le moteur gronde, le bolide
5   fonce comme une bombe. PHILIPPE tourne la tête.

Au bout d'une rue, un feu vert passe à l'orange.

              PHILIPPE
6A   (d'une voix faible)
                Vous ne l'aurez jamais...

6B   DRISS accélère et fait crier le moteur. Le feu est toujours à
l'orange, PHILIPPE semble grisé par la vitesse, l'aiguille du   7
compteur s'affole. DRISS arrache le feu juste avant qu'il ne
passe au rouge, il regarde son voisin, satisfait.

              DRISS
                (il imite)   11 - 12 -
                "Vous ne l'aurez jamais..."

25/01 85

13   La Maserati fonce pour arriver sur les quais parisiens.
Le bolide slalome entre les voitures. Les monuments parisiens
14   défilent. DRISS accélère de plus belle. Autour, des appels de
15   phare, des coups de klaxon. PHILIPPE observe les mains de
16   DRISS qui gèrent parfaitement la combinaison embrayage-
17   accélérateur, sa conduite est nerveuse et à la fois très
18   souple.

              DRISS
                Attention, on se tient prêts... 3,2,1 !

La Maserati sort d'un tunnel, simultanément, DRISS sourit
exagérément, PHILIPPE s'accroche sur le visage un sourire
forcé : un flash illumine l'habitacle.

La Maserati fonce en direction de l'autoroute à la sortie de
Paris. Bientôt, apparaissent dans le rétroviseur, deux
voitures de police banalisées surplombées d'un gyrophare
bleu.

-1-

■ *Scénario original annoté par la scripte Nathalie Vierny. Première séquence.*

« Certains plans, dit Mathieu, il faut les arracher. C'est une lutte, un combat, puis un miracle. » La séquence qu'il garde particulièrement en mémoire est celle dans laquelle François Cluzet a une crise de spasmes, au cours d'une nuit de douleur. Omar se penche et vient le calmer. « Nous avons choisi un plan très serré, tellement serré qu'il en devenait fragile et que l'on risquait de perdre le point, avec très peu de profondeur de champ. » C'était un moment fébrile, qui se ressent dans l'image.

Concernant les décors aussi, les choses furent soigneusement pensées. Pour l'hôtel particulier, une lumière chaude était voulue, accentuée par les boiseries. À l'opposé, la banlieue sera filmée dans une lumière froide, bleutée et grisée, parmi la brume et les halos. « Nous avons voulu jouer sur les contrastes, pour faire des transitions entre les volumes, entre le gigantisme de l'hôtel particulier et l'appartement de Driss en banlieue. » Pour les repérages, Olivier est retourné dans certaines cités qu'il avait connues dans son adolescence près de Puteaux. Avec Éric, ils ont visité plusieurs immeubles, frappant au hasard chez des locataires, pour prendre des photos des intérieurs afin de s'assurer de la crédibilité des décors, et donc des situations.

« Le succès d'un film naît souvent d'une rencontre avec son époque », conclut Mathieu Vadepied. Un peu comme *La Grande Vadrouille,* qui était tombée à pic au milieu des années 60, alors que la France avait encore du mal à digérer les heures sombres de la collaboration et que la réconciliation avec les Allemands semblait difficile. « *Intouchables* est peut-être, lui aussi, tombé à pic. Au moment où l'on parle tellement du vieillissement de la population, de la dépendance, et de la précarité grandissante, voici qu'arrive un film plein de vie et d'espoir. »

UN TOURNAGE SANS TENSION

■ *Omar ayant grandi à Trappes, il tenait à montrer qu'il ne jouait pas faux sur son propre terrain. Il ne pouvait se permettre aucune erreur. La démarche permet déjà de raconter une histoire, sans mots, et en évitant tous les tics de langage et les clichés qui se démodent très vite.*

■ *Nous avons fait plusieurs allers-retours à Bondy avant de tourner, pour rencontrer les gens, faire connaissance, discuter. Au total 150 personnes de la cité ont été embauchées. Tout s'est déroulé sans problème. Sauf peut-être le jour où l'on filmait une scène avec de nombreux policiers ; l'ambiance s'est tendue car beaucoup d'habitants pensaient qu'il s'agissait de vrais flics. On a dû hurler : « Ce sont des faux policiers ! »*

Les différents essais de barbe de la chef maquilleuse Thi Thanh Tu Nguyen sur François Cluzet.

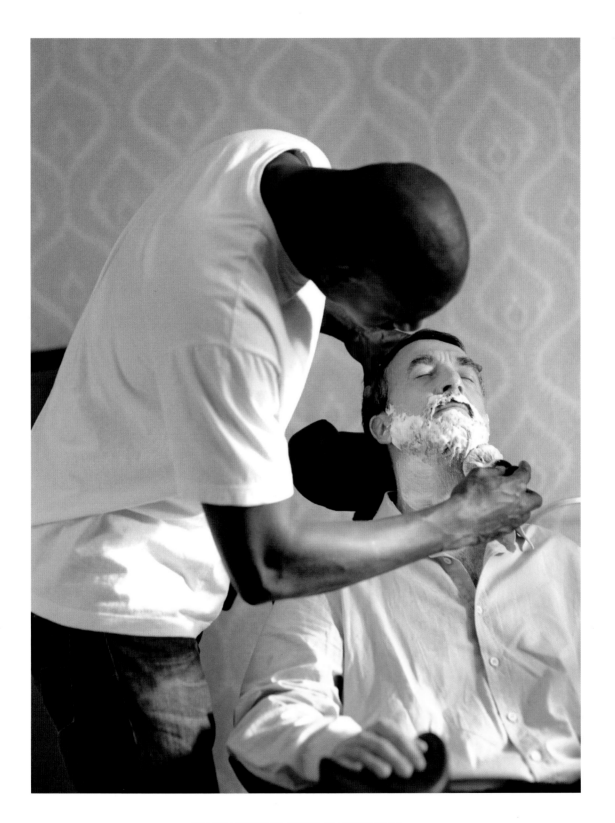

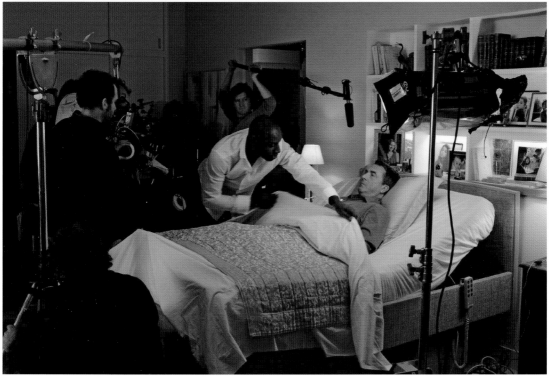

■ *Anne Le Ny, Yvonne.*

■ *Grégoire Oestermann, Antoine.*

■ *Audrey Fleurot, Magalie.*

UNE HISTOIRE VRAIE ?

Où est le vrai, où est le faux ? C'est la question qui reviendra le plus souvent dans la bouche des journalistes et des spectateurs. *Intouchables* n'est pas l'adaptation *stricto sensu* d'une biographie. C'est l'essentiel du métier de cinéaste que de dire vrai avec du faux et vice versa. Raconter une histoire vraie mais en s'octroyant le droit d'imaginer, de paraphraser, de broder à partir de la réalité.

DÉMÊLER LE VRAI DU FAUX

Telle fut, comme pour beaucoup de réalisateurs, la démarche d'Éric et d'Olivier qui, à aucun moment, n'ont envisagé de faire autre chose que de partir de la réalité pour en faire une fiction dans un genre qu'ils aimaient, la comédie.

« Dans le film, il n'est pas évident, explique Éric, de démêler le vrai du faux. Certaines scènes, comme celle des escort-girls et de la marijuana, sont bien en dessous de la vérité. Abdel Sellou et Philippe Pozzo ont vraiment fait les quatre cents coups ensemble. » La séquence sur l'autoroute dans laquelle les deux protagonistes filent à toute allure en voiture, et l'interpellation par les policiers qui suit, a vraiment existé. Suite au film, cette scène a même donné des idées à certains...

La scène de l'Opéra a été imaginée, mais elle illustre les nombreux chocs culturels qui ont eu lieu entre Philippe et Abdel. Idem pour la scène où Philippe s'exile à Cabourg ; elle est imaginaire là encore, mais elle tente de traduire les semaines de dépression véritable qu'a vécues Philippe, même si ce n'était pas sur la Côte normande. C'est Abdel qui a proposé à Philippe de venir se changer les idées à Marrakech au Maroc, le pays où, quelque temps plus tard, il rencontrera celle qui est aujourd'hui son épouse. Dans le film, cet épisode est retranscrit dans la scène finale qui se déroule en bord de mer, et dans laquelle Driss a invité une femme (Eléonore) à retrouver Philippe dans un restaurant.

Enfin, excepté la fameuse réplique « Pas de bras, pas de chocolat », la scène dans la galerie est bien réelle, Abdel s'étant souvent offusqué face à Philippe des sommes astronomiques que ce dernier dépensait dans l'art contemporain. Mais Abdel ne s'est jamais mis à la peinture. L'idée d'imaginer Omar face à une toile blanche était tout simplement trop tentante.

7 SUR 7 BELGIQUE MONDE SPORTS SHOWBIZ PLUS 7S7

Ils imitent une scène d'"'Intouchabes" et ça finit mal

Trois individus ont été arrêtés en France après avoir tenté de berner des policiers en imitant une scène du film "Intouchables".

L'incident s'est produit très tôt ce dimanche à Vichy en France. Trois jeunes hommes qui se trouvaient à bord d'une voiture ont été arrêtés par des policiers pour excès de vitesse. C'est alors que le passager a tenté d'imiter une scène désormais culte du film "Intouchables" au cours de laquelle François Cluzet simule un malaise pour venir en aide à Omar Sy arrêté lui aussi pour excès de vitesse.

Mais le scénario ne s'est pas déroulé comme dans le film et au lieu d'escorter la voiture des trois individus jusqu'à l'hôpital, les policiers ont décidé d'appeler les secours, nous apprend le quotidien français La Montagne. A l'arrivée des pompiers, le passager qui avait simulé un malaise a pris la poudre d'escampette. Le conducteur, un homme de 23 ans, s'est alors mis à frapper les policiers. Trois d'entre eux ont été légèrement blessés.

Les trois individus ont été interpellés. Le conducteur condusait sans permis et son taux d'alcoolémie était de 1,14 gr. En outre, des traces de stupéfiants ont été détectées dans son sang. Il a été incarcéré. Le passager qui avait simulé le malaise a également été placé en détention. Le troisième individu a été remis en liberté après avoir été auditionné.

LES PREMIERS SIGNES DU SUCCÈS

Comme souvent, le film se tourne et se monte en parallèle. Chaque soir, il est donc possible d'avoir une première idée du montage et des séquences du film. « Lors des visionnages des rushes, et même de temps en temps sur le tournage, on sentait que certaines scènes fonctionnaient vraiment bien. On entendait les techniciens rire. Et parfois, presque toute l'équipe, de l'assistant réalisateur à l'accessoiriste, se glissait derrière l'écran de contrôle pour voir la scène tournée, ce qui est assez rare sur un plateau de cinéma.

« Un soir, en début de tournage, alors que les choses se mettaient en place, on s'est fait une petite montée de peur, une bonne frayeur. Après nos douze sms et nos dix messages, Dorian Rigal-Ansous, qui a monté nos trois précédents films et en qui nous avons une totale confiance, nous appelle et nous dit : "Les gars, calmez-vous, le duo fonctionne vraiment, *vraiment* bien." Connaissant son regard sur le cinéma, cela a calmé nos angoisses, mais à aucun moment sur le tournage nous n'avons anticipé le potentiel du film. Cela dit, il y a eu ce que nous appelions, en plaisantant entre nous, des *signes*, c'est-à-dire des moments très singuliers, faits de coïncidence et d'intuitions très positives, comme des moments de grâce.

« Le tournage s'est par exemple déroulé pour l'essentiel en hiver, avec un froid pinçant, mais nous avons toujours eu la chance d'avoir des lumières exceptionnelles. Comme ce rayon de soleil qui tombe à pic dans la scène de la passerelle, lorsqu'Omar s'amuse à pousser rapidement le fauteuil de François dans ce cadre incroyable au-dessus de la Seine.

« À ce titre, l'idée que Driss puisse se servir du fauteuil comme d'une trottinette électrique nous est venue lors d'un atelier organisé par Les Toiles enchantées[1], une association qui projette des films pour les enfants hospitalisés. Nous étions allés aider des élèves d'une classe de 3ᵉ à réaliser un court-métrage au collège Jean Monnet de Garches, un établissement d'enseignement adapté aux élèves handicapés en région parisienne. Nous avons découvert à cette occasion l'humour incroyable qui existe entre ces enfants atteints de différents handicaps plus ou moins visibles. Et c'est dans la cour de récréation que nous avons eu cette vision insolite : un jeune est monté à l'arrière du fauteuil roulant de son ami en s'y cramponnant pour rouler à

---

1. Une partie des bénéfices de cet ouvrage est reversée à l'association Les Toiles enchantées qui organise des projections de films dans les hôpitaux depuis 1997 (www.lestoilesenchantées.com).

toute allure. L'image de ces deux amis, et la complicité qui semblait les lier pendant qu'ils se déplaçaient ensemble en riant à travers la cour de récréation, nous est restée. En pleine écriture d'*Intouchables,* nous avons intégré cette scène et l'avons transposée sur les ponts parisiens. Cette image sera d'ailleurs reprise par différents pays étrangers pour en faire leur affiche du film. Au cours de nos voyages, lorsqu'on arrivait dans des endroits aussi éloignés que Tokyo ou Philadelphie, nous avions donc toujours en tête l'image de ces deux adolescents du collège de Garches.

« Il y eut aussi un jour de forte neige, toute l'Île-de-France était bloquée, l'équipe a mis des heures à rejoindre le lieu du tournage, un château au nord de Paris, près de Senlis. Certains ont même été bloqués pendant plus de cinq heures dans leur voiture. L'attente était intenable. On s'est donc mis d'accord pour commencer sans les chefs de poste. Certains assistants présents ont remplacé leurs supérieurs, à la lumière, au cadre, tout cela dans une improvisation totale ! Du coup, tout le monde était ultraconcentré sur la scène qui, de surcroît, était très délicate car il s'agissait de la confession de Driss où le personnage évoque pour la première fois son enfance complexe et son départ du Sénégal. Ce côté plus artisanal, plus naturel aussi, se retrouve dans l'atmosphère de la scène. Cette situation, au départ critique, a finalement apporté une émotion supplémentaire que l'on ressent à l'écran. »

Cette neige imprévue a également été l'occasion d'improviser une séquence, celle dans laquelle Driss traîne Philippe, dans son fauteuil, dans un terrain neigeux immaculé. « Nous ne savions pas où mettre le plan au montage, mais le visuel nous a attirés. » Au final, il sera inséré dans un clip au milieu du film, et il sera l'une des photos reprises par quelques pays pour en faire leur affiche...

« Parmi les moments forts, figure évidemment le tournage de la scène de danse sur *Boogie Wonderland* d'Earth, Wind and Fire, dans laquelle Omar a littéralement scotché toute l'équipe présente sur le plateau. Nous l'avons tournée sans répétitions, et en une prise avec trois caméras. D'abord, parce que c'est un groupe de funk mythique, ensuite parce que cette chanson envoie une vraie décharge électrique. Pour l'anecdote, six mois avant le tournage nous sommes allés au concert du groupe légendaire au Zénith, et le doute s'est emparé de nous. C'était un concert parrainé par Nostalgie, et la moyenne d'âge du public était

■ *Omar Sy avec Philip Bailey et les membres historiques du groupe Earth Wind and Fire lors de leur concert à Paris le 11 juillet 2013.*

autour de 40/50 ans. On s'est alors posé la question suivante : est-ce que nos références commencent à dater ? Une de nos surprises fut de voir à quel point *September* et *Boogie Wonderland* sont restés des standards. Quant à Earth, Wind and Fire, le groupe a reprogrammé une tournée européenne triomphale suite au succès du film.

« La scène du parapente, filmée plusieurs mois après la fin du tournage pour profiter des vents chauds, donna lieu à de drôles de coïncidences. Le nom du lieu-dit était "Le grand Tétras", un des surnoms que l'on aurait pu donner à Philippe Pozzo (depuis 17 ans en fauteuil), et celui du chalet était "Eléonore", le nom de la femme que Philippe retrouve à la fin du film ! »

LA TOUTE PREMIÈRE PROJECTION

« Comme souvent quand on réalise un long-métrage, le monteur son est le premier à découvrir le film pour pouvoir commencer son travail. Nous avons pris l'habitude d'accorder une importance toute particulière à ce premier spectateur. Ce fut le cas avec le regretté Laurent Quaglio qui, sur *Nos jours heureux,* avait été le premier à nous appeler pour nous communiquer son enthousiasme. Et ce fut le cas sur *Tellement proches* et sur *Intouchables* avec Jean Goudier, dont la carrière en tant que monteur son impressionne par ses références, et dont les qualités humaines nous ont particulièrement touchés. » Éric se souvient : « À la fin de la projection, Jean est monté nous voir dans la salle de montage, troublé, les yeux encore un peu embués, et nous a dit : "C'est formidable !" Nous ne voulions pas le croire. Même après sa déclaration, nous étions encore très hésitants, très indécis sur certaines scènes… On sortait de près de quatre mois de montage. Nous l'avons assailli de questions, l'obligeant à nous faire part de ses critiques et de ses remarques. Toujours un peu remué, Jean ne cessait de répéter : "Qu'est-ce que vous voulez que je vous dise, le film est très fort". » C'est peut-être la première fois qu'Éric et Olivier ont vraiment commencé à y croire. L'épisode le plus marquant restera sûrement la projection d'un montage spécial, appelé « promo reel » dans le jargon, qui fut réalisé pour montrer le film pendant le Festival de Cannes. Durant quinze jours, la ville se transforme et se pare de paillettes et de tapis rouges pour accueillir des stars du monde entier. Mais Cannes, c'est aussi un marché très actif, où producteurs et distributeurs viennent vendre, acheter, flairer ou dénicher le prochain grand événement cinématographique de l'année. L'année de sa sortie, un court montage de huit minutes d'*Intouchables* est présenté aux acheteurs dans l'enceinte du Pavillon Gaumont. Cet outsider total, dont personne n'avait réellement entendu parler, fait sensation, et une vingtaine de pays se positionnent d'emblée pour acquérir les droits du film.

Comme souvent quand on réalise un long-métrage, le monteur son est le premier à découvrir le film pour pouvoir commencer son travail. Nous avons pris l'habitude d'accorder une importance toute particulière à ce premier spectateur.

■ *Le producteur et distributeur américain Harvey Weinstein, aux côtés d'Éric et Olivier.*

Tout le monde ressort de la salle ému, mais le sourire aux lèvres. Le bruit se répand alors comme une traînée de poudre. Puis ce buzz prend une autre dimension, en grande partie grâce à un homme : le producteur et distributeur américain Harvey Weinstein, sorte de magnat du cinéma d'un autre temps, à la corpulence impressionnante, que l'on surnomme « l'homme aux 75 oscars ». Il a la réputation de faire et de défaire des carrières à Hollywood. C'est lui qui a révélé Tarantino et Soderbergh au grand public. À son actif, il compte des succès comme *Pulp Fiction*, *Shakespeare in Love*, *Le Patient anglais*, *Gangs of New York* ou plus récemment *Django Unchained*, et une pléiade de films récompensés aux Oscars comme *Le Seigneur des anneaux*. Et c'est aussi lui qui a craqué pour *The Artist* et qui a décidé de le propulser à Hollywood. Pour prolonger la carrière des films européens aux États-Unis, il a ses réseaux et son savoir-faire. Les réalisateurs de *Cinéma Paradiso*, *La vie est belle*, *Amélie Poulain* ou *Le Discours d'un roi* s'en souviennent encore. Son but à la sortie de la projection : faire pareil avec *Intouchables*. Avant même sa sortie en France, une autre aventure démarre en parallèle.

La figure classique de l'initiation à deux

Gérald Bronner fait partie des sociologues que les journalistes adorent inviter sur leurs plateaux. Âgé d'une quarantaine d'années, particulièrement clair et pédagogue, il sait avancer des thèses qui retiennent l'attention, comme celle sur les croyances collectives qu'il étudie depuis longtemps. Il aborde des sujets qui passionnent, parle de l'actualité, des OGM au gaz de schiste en passant par l'état de notre démocratie qu'il considère comme une « démocratie de crédules » du fait de l'excès d'informations qui circulent dans notre société.

Je me demandais si l'on pouvait faire un rapprochement entre le fait que certaines croyances, notamment celles décrites dans ses livres, comme dans *L'Empire des croyances* (PUF, 2003), et plus récemment *La Démocratie des crédules* (PUF, 2013), sont suivies par tout le monde, et l'engouement massif qu'a suscité *Intouchables*. Je tombais bien, car, parmi ses travaux, cet ancien dirigeant du Centre d'études sociologiques de la Sorbonne s'était intéressé de près au succès des produits culturels. Pour commencer, il propose une précision qui a son importance : « Ce qui est intéressant dans le cas d'*Intouchables*, ce n'est pas le succès en soi, c'est le succès inattendu. »

Il est vrai que plus personne ne s'étonne qu'un film de Spielberg ait du succès. Or, dans cette affaire, rien n'était programmé pour qu'un tel retentissement médiatique ait lieu. Mais quelles sont les raisons qui font qu'une croyance ou un produit culturel se diffuse plus qu'un autre dans l'espace social ? Bronner évoque ce qu'il appelle « la colonne vertébrale du film » : la rencontre de deux personnes que tout oppose, placées dans une situation paradoxale. Elles ont toutes deux un handicap, physique pour l'un, social pour l'autre. « La scène de l'entretien d'embauche, se souvient-il, dans laquelle le personnage d'Omar a une attitude inconvenante et désinvolte face à celui de Cluzet, nous signifie que ces deux-là ne pourront jamais s'entendre. Ce qui est paradoxal, poursuit le sociologue, c'est que, loin de continuer à s'opposer, les deux individus vont chacun faire un pas l'un vers l'autre. Ils vont s'élever, l'un et l'autre. L'initiation est un grand classique que l'on retrouve souvent dans la littérature ou dans les récits traditionnels. Cette figure de la complémentarité et de l'apprentissage à deux se retrouve par exemple dans *Narcisse et Goldmund*. Et ce sont généralement des récits qui plaisent. » Dans le roman d'Hermann Hesse, paru en 1930, on suit en effet deux héros à la fois différents et complémentaires, l'un vivant dans un monastère, l'autre profitant de sa liberté en vagabond, « deux personnages finalement assez insupportables » selon Bronner. Mais leur évolution personnelle, dit-il, va venir de leur entraide mutuelle.

Dans le cas d'*Intouchables,* ce qui retient l'attention c'est le fait que les rôles sont redistribués en permanence. « Si l'un est le corps (Driss/Omar Sy) et l'autre le cerveau (Philippe/François Cluzet), le vaillant va initier le handicapé aux plaisirs du corps, et l'intellectuel va faire découvrir au néophyte la musique classique et l'art contemporain. Et l'inverse est tout aussi vrai. L'éducation corporelle concerne également Driss : bien qu'il soit très à l'aise avec son corps, il va apprendre beaucoup de choses sur ce domaine grâce à Philippe. Il va devoir affronter une intimité qu'il découvre (les bas de contention, les soins d'hygiène) et il va réussir à mettre de côté ses a priori. De même, l'initiation "spirituelle" se fait des deux côtés. Il y a certes la découverte de l'art pour Driss, mais Philippe apprend beaucoup de lui, notamment de son audace (les scènes de voiture). Lui qui, ancien casse-cou, croyait peut-être tout connaître sur la prise de risque. Enfin, Driss va lui enseigner des choses sur l'amour, alors que Philippe semblait expérimenté dans ce domaine. C'est un apprentissage croisé. La force et la singularité du film tiennent dans cette initiation mutuelle. » Sur les raisons d'un tel succès, Bronner nous apporte ses lumières de spécialiste. Des études sociologiques démontrent que les croyances ou les récits à succès sont composés de la façon suivante: « Un tiers d'éléments contre-intuitifs et deux tiers d'éléments intuitifs. Il ne s'agit pas de la recette du succès mais d'une observation reconnue. » Tous les grands récits classiques possèdent des éléments surprenants, auxquels on ne s'attend pas. Mais, une fois encore, la réussite du film s'explique aussi par son optimisme, plus rassembleur que la comédie noire: « Même si l'on montre la souffrance des deux individus, le film reste optimiste. On en sort avec une envie de fraternité. » Enfin, Gérald Bronner n'est pas étonné qu'*Intouchables* ait attiré les foules dans des pays culturellement très éloignés, précisément parce que « la structure narrative du film est universelle. Et le fait qu'il s'agisse d'une histoire vraie renforce sa crédibilité. L'un des critères qui permet la diffusion à grande échelle d'une histoire, c'est sa crédibilité, la croyance adossée à une structure argumentative ».

Télérama

N° 3236 | DU 21 AU 27 JANVIER 2012

Hackers La technologie
au service de la démocratie
Chris Ware Un dessinateu
génie au festival d'Angoulê

François
Cluze
Enfin populai

MERCREDI 18 JANVIER 2012 | HEBDOMADAIRE | FR 2,30 €
BEL. LUX 2,90 € | DOM 4,90 € | ESP 4,40 € | CH 5 FS | TOM 1150 XPF
M 02773 - 3236 - F: 2,30 €

Obs

Télé Ciné

Télévision
Laurent Delahousse
**LA FORCE
TRANQUILLE**

CHAPITRE IV

**DU FILM
AU PHÉNOMÈNE
DE SOCIÉTÉ**

Quand on réalise un film comme *Intouchables*, à quel moment sent-on qu'il n'aura pas le même destin que les autres ? En l'occurrence, cela a pris de nombreux mois. Malgré quelques bonnes « vibrations » sur le tournage, le verdict des amis proches, le soutien inconditionnel des producteurs, et l'embrasement à Cannes, personne n'a anticipé la carrière qui attendait le film.

Pourtant, étape par étape, le succès enfle. Après Cannes, il y eut le Festival d'Angoulême, le « bébé » de Dominique Besnehard, en août 2011. Ce dernier fut l'agent de stars comme Sophie Marceau ou Nathalie Baye. Aujourd'hui producteur, il est très attaché à son festival du film francophone, un rendez-vous utile à la profession pour recueillir les premières réactions du public à propos des films de la rentrée. François Clerc, directeur de la distribution de Gaumont, est l'homme clé qui va superviser et organiser le lancement du film en France. Comme pour beaucoup de professionnels, Angoulême est pour lui une ville test. Il s'en souvient comme d'un moment étonnant et émouvant. « Le succès a toujours quelque chose d'abstrait. Les chiffres n'expriment pas tout. Et il nous est impossible de nous mettre complètement à la place d'une star ou d'un réalisateur. La projection à Angoulême avait pour le coup quelque chose de très concret, et de presque violent. Cinq salles et cinq standing ovations, c'était magique. On avait du mal à y croire. Ce que nous renvoyait le public était vraiment particulier, très chargé en émotions. Les gens se précipitaient littéralement sur nous après la projection. On ne savait que faire de leur émotion et de leurs larmes, du moins nous n'y étions absolument pas préparés. Après les projections, nous avons terminé la soirée à une heure du matin, à fumer une cigarette silencieusement devant l'hôtel. On était sonnés, vidés d'énergie. » La présentation à Angoulême donne ainsi le coup d'envoi de la promotion du film, avec un Dominique Besnehard enthousiaste, qui fut parmi les premiers supporters d'*Intouchables*. Déjà, des journalistes et des personnalités commencent à alimenter le buzz et tweetent leurs impressions à chaud.

UN TOUR DE FRANCE AVANT LA SORTIE

La sortie du film est prévue le 2 novembre 2011. Au printemps, alors que le film est encore en montage, une réunion d'urgence est organisée chez Gaumont. L'état-major est rassemblé, les visages sont tendus. En plein mois d'avril, nul ne peut deviner encore l'impact

qu'aura *Intouchables*. Le film n'est pas terminé, et l'une des scènes clés, celle du parapente, n'est même pas encore tournée.

« Et si on ne sortait le film qu'en janvier finalement ? » Autour de la table, le doute est palpable. L'heure est aux remises en question.

Le 2 novembre apparaît soudain comme la pire date pour sortir un film. Coincé entre le *Tintin* tant attendu de Spielberg, et les films qui ont fait sensation à Cannes, *Polisse* et *The Artist* dont la sortie est prévue mi-octobre. Il y a aussi un petit film qui enchante déjà la critique, *La guerre est déclarée* de Valérie Donzelli, et l'ouragan *Twilight* est prévu quinze jours après. La fenêtre de tir est réduite. « La période est apocalyptique ! » s'exclame-t-on chez Gaumont. La date est périlleuse car la concurrence est impitoyable. Les distributeurs se livrent une guerre sans merci pour obtenir les meilleures salles. Et tout le monde imagine que *Tintin*, dont la sortie est prévue sur près de mille salles, va rafler la mise.

Pour Gaumont et François Clerc, qui ne peut se résoudre à changer de date, l'équation est simple : « Soit on performe tout de suite, soit on se fait balayer. » Le mois de novembre est traditionnellement un des mois de l'année qui enregistre les plus forts taux de fréquentation des salles. « Un énorme gâteau, mais avec peu de temps pour le manger. » Les doutes de la Gaumont vont se dissiper au moment du Festival de Cannes, avec le succès des premières ventes du film à l'étranger. On décide alors de jouer le va-tout : *Intouchables* sortira le 2 novembre, comme prévu.

Mais si la date est maintenue, la question n'est pas résolue : comment mettre à distance les nombreux concurrents pour tenter de sortir du lot le jour J ? Chez Gaumont, François Clerc va alors faire des choix décisifs. « J'ai été aidé par l'énergie des réalisateurs qui n'ont jamais compté leur temps pour assurer la promotion du film en province, modère-t-il. J'imagine qu'à deux, on se lasse moins. Et à aucun moment il n'y a eu d'emballement, ils ont toujours gardé la tête froide. »

Pour faire exister le film et faire fonctionner le plus possible le bouche à oreille, Gaumont, en accord avec la production et les réalisateurs, imagine un véritable tour de France. Tous savent qu'il faut en faire plus que les autres et mettre les bouchées doubles sur la tournée province. Quarante-neuf villes visitées au total. « Une tournée de dingue. »

Un immense voyage de promotion qui démarre fin août et se prolongera jusqu'à la fin du mois d'octobre, quelques jours avant la sortie nationale. L'équipe part en campagne, les deux réalisateurs flanqués de leurs deux acteurs. Des grandes villes comme Lyon, Bordeaux, Marseille, Strasbourg mais aussi des villes moyennes à l'instar du Mans, Saint-Dizier, Bar-le-Duc, Sarreguemines… doivent accueillir le film. Un tour de France des petites et des grandes villes durant lequel l'équipe atterrit parfois dans des salles improbables au milieu de l'après-midi, devant une centaine de personnes qui ignorent totalement le genre de film qui va leur être présenté…

Ces projections en avant-première resteront des séances mythiques pour nous. Elles sont gravées dans notre mémoire.

Dès le mois d'octobre, la presse commence à parler de « la comédie de l'automne ». Quelques passages télé donnent un premier coup de pouce à la notoriété du film. Les deux acteurs principaux sont réquisitionnés. Ce sont eux qui font les couvertures des journaux et assurent l'essentiel de la promotion. Des avant-premières aux plateaux de télévision, ils n'arrêtent pas pendant plusieurs semaines.

Un mois avant la sortie du film, deux avant-premières organisées à Lyon vont commencer à affoler les compteurs : une en plein centre-ville, à l'UGC Ciné Cité, et l'autre au Méga CGR Brignais, dans la banlieue lyonnaise. Plus de 900 places payantes sont réservées, un chiffre hors norme. « C'est le moment où nous sentons qu'il se passe quelque chose. Dans les tournées province, en général, on présente le film, puis on va manger dans un bon restaurant. Là, on n'avait plus le temps de dîner ! On nous conduisait d'une salle à l'autre pour saluer le public. »
Pour ces avant-premières, on se déplace en troupe. François Cluzet et Omar Sy accompagnent les deux réalisateurs. L'ambiance est chaque fois à la fête. Après le film, tout le monde reste patiemment dans la salle, pour répondre aux questions du public et signer des autographes. Une ville remporte la palme de l'émotion : Le Mans. Avec son charismatique patron de cinéma, Laurent Barriquault. Un sacré personnage, un fou de cinéma. Et l'un des exploitants les plus agités de France. « Le soir de l'avant-première, se souvient Olivier, ses mains tremblaient.

Il était dans un état d'excitation extrême. » Il est sans doute le premier à avoir flairé la singularité du film et la puissance des réactions.

Au Mans, on ne se contente pas de quatre salles comme à Lyon. « Neuf salles payantes ! » Au bout du fil, François Clerc n'en croit pas ses oreilles. Comment se fait-il qu'un film qui n'est même pas encore sorti attire à ce point ?

La nouvelle de la venue de l'équipe du film a fait le tour de la ville. Omar Sy connaît bien la région dont sa femme, Hélène, est originaire. Sur place, les familles et les amis des membres de l'équipe les attendent. Eux ignorent qu'un gigantesque embouteillage paralyse déjà une partie de la ville. Quelle n'est pas leur surprise lorsqu'ils se retrouvent bloqués sur plusieurs kilomètres par un immense bouchon près du cinéma. En arrivant, ils découvrent une belle cohue ; trois mille personnes massées devant ce complexe pourtant situé dans une zone industrielle. Le public est très chaleureux et Laurent Barriquault, dans son incroyable

■ *Le hall au Mans où
3 000 personnes attendent de voir
le film un mois avant sa sortie.*

enthousiasme, a sorti le grand jeu pour l'occasion : devant son cinéma, il a garé une Maserati, la voiture emblématique du film, et a invité toute l'équipe à faire un tour sur le célèbre circuit des 24 Heures du Mans. « Ce fut un vrai marathon, se souvient Éric, neuf salles les unes derrière les autres. Et en sortant, nous avons eu cette vision hallucinante du hall plein à craquer de nouveaux spectateurs qui attendaient pour la séance de 22 heures. » L'avant-première au Mans restera pour tous un moment d'anthologie. « C'est la ville où l'on a été le mieux accueillis. Ils ont dû battre les records d'entrées par habitant ! Nous étions tellement heureux et étonnés ce soir-là que nous leur avons promis de revenir si le cap des cinq millions d'entrées était atteint. Ce qui, à l'époque, nous semblait extrêmement hypo-thétique. Nous avons tenu parole et sommes revenus avec François Cluzet. Là encore, la soirée fut mémorable. »

Le soir même, un tweet évoque l'inquiétude de la Warner, qui se demande ce qu'il va advenir du légendaire reporter belge. Risque-t-il d'être dépassé par une comédie française que personne n'attendait ? La réponse ne se fait pas attendre.

« Qui aurait pu prédire que le *Tintin* de Spielberg, tellement attendu, allait perdre la moitié de ses spectateurs dès la deuxième semaine ? »

Chez Gaumont, François Clerc admet qu'*Intouchables*, coincé au départ entre plusieurs films à gros potentiel, a finalement bénéficié d'une sortie où rien ne s'est passé comme prévu.

« Dans le métier, dit François Clerc, Éric et Olivier sont réputés pour aimer aller au contact des salles et du public, ils ne rechignent jamais pour assurer la promotion de leurs films. Pour cela, les exploitants de salles les adorent. »

D'autres émotions fortes les attendent à Rouen. Une ville qui figure au panthéon des meilleurs souvenirs de cette tournée française. L'équipe doit se rendre à Elbeuf, à quelques kilomètres du centre-ville. Une commune qu'Omar dit bien connaître, à la surprise générale. Pas étonnant, explique-t-il, une forte communauté sénégalaise y vit. Il se souvient y être allé pour plusieurs mariages.

■ *Deuxième venue de l'équipe au Mans pour fêter les cinq millions d'entrées…*

Richard Patry les attend sur le perron de son cinéma. Celui-ci est situé à l'entrée d'un quartier très populaire, en dehors de la ville, et a une particularité : c'est l'une des rares salles de cinéma de France où il est possible de voir le film en s'installant derrière la toile. C'est d'ailleurs cette salle qui inspira une scène à Michel Hazanavicius pour son film *The Artist*. Le cinéma se remplit, il est rapidement bondé. Derrière l'écran, Éric, Olivier, François et Omar s'allongent confortablement pour assister à la projection de cette façon pour le moins originale. Ils sont curieux de pouvoir voir sans être vus. La rumeur de la foule monte, puis le film démarre. « C'est une sensation très particulière, se rappelle Olivier, de pouvoir ainsi surprendre les premiers rires des spectateurs. D'autant plus qu'à Elbeuf, la salle était vraiment très réactive, vibrante. Les rangées étaient pleines à craquer d'enfants et de familles de toutes origines. »

L'avant-première est une réussite. On se félicite et, du coup, on se jure de revenir. Une promesse totalement hasardeuse est faite à nouveau, toujours sans trop y croire, si le cap des dix millions d'entrées est franchi. Parole tenue. Quelques semaines plus tard, au cœur de l'hiver, Gaumont met plusieurs voitures à disposition pour accompagner l'équipe vers Elbeuf. Les quatre protagonistes reprennent leur place secrète derrière l'écran. Lorsque le générique de fin se déroule, les applaudissements spontanés résonnent. Le patron de la salle monte sur scène, micro en main : « J'ai juste un mot à vous dire : j'ai une surprise pour vous ! »

Le Monde WEEK-END

Samedi 26 novembre 2011 · 67ᵉ année · N°20792 ·   www.lemonde.fr   Fondateur : Hubert Beuve-Méry · Directeur : Erik Izraelewicz

L'atome, arme de campagne pour M. Sarkozy

■ Le président est convaincu d'avoir, avec la filière nucléaire, un avantage sur son rival François Hollande

3,20 € ou 9,10 € avec le DVD (en France métropolitaine uniquement). Ne peut être vendu sans c M.».

Les cafouillages entre le Parti socialiste et les Verts ont renforcé la conviction de Nicolas Sarkozy de faire du nucléaire un thème fort de sa campagne. Lors d'une visite à Orange (Vaucluse) et au Tricastin (Drôme), vendredi 25 novembre, il devait s'exprimer pour la troisième fois en huit jours sur ce sujet.
L'UMP et l'Elysée ont élaboré une série d'arguments contre le projet PS de réduction de la part du nucléaire dans le mix énergétique français : 200 000 emplois seraient menacés, une filière exportatrice serait déstabilisée, la facture d'électricité augmenterait de 50 %, le recours à davantage de centrales thermiques, émettrices de CO_2, s'imposerait. Des arguments que récuse François Brottes, député PS de l'Isère et chargé de l'énergie dans l'équipe Hollande. ■
Lire page 8

« Intouchables », les recettes d'un succès inouï
■ Rencontre avec les producteurs du film événement Supplément Culture & Idées

Omar Sy et François Cluzet, les vedettes d'« Intouchables »

On meurt dans les prisons françaises

En France, on meurt beaucoup en prison : on en parle... / en milieu carcéral, qui, depuis trois ans organise ce modeste ras... / Fédération des associations réflexion-action prison et justice... / Les surveillants se tuent, eux aussi. « Les surveillants et les déte...

Un robot surdoué en mission vers Mars
Astronomie

■ *Une du journal* Le Monde, *26 novembre 2011.*

Sur ces mots, l'écran se lève lentement et révèle la présence de l'équipe du film. L'émotion est à son comble. Dans la salle, des visages interloqués. Le public, fou de joie, n'en croit pas ses yeux et exulte. « On était au bord des larmes », se souvient Éric. « La probabilité pour qu'un habitant d'Elbeuf voie ainsi les auteurs ou les acteurs d'un film est tout de même extrêmement mince. Il y avait, ce soir-là, une émotion incroyable, nous en avions tous la chair de poule. » Omar Sy et François Cluzet furent applaudis par le public pendant un long moment, assaillis par les demandes d'autographes. « Leur sortie de salle fut mouvementée, digne des Rolling Stones. »

Ailleurs, dans les files d'attente, on se bouscule. Certains spectateurs repartent furieux de n'avoir pas pu entrer dans les salles qui sont archipleines. D'autres reviennent sans broncher à la séance suivante. À La Courneuve, des adolescents usent de différents stratagèmes pour entrer dans les salles. Au début, Éric et Olivier en ont même aidé quelques-uns à pénétrer par la porte de derrière. Pourquoi une telle attente, une telle impatience de voir ce film ? Est-ce seulement l'effet du bouche à oreille ? Et pourquoi un tel engouement ?

Derrière la comédie populaire, une méthaphore sociale et généreuse

Intouchables

■■□

A en croire les échos, un gros buzz entoure la sortie nationale d'*Intouchables*, quatrième long-métrage d'Olivier Nakache et Eric Toledano. Ce sonore anglicisme désigne, en termes de marketing, le « bourdonnement » qui est organisé autour d'un produit pour le lancer, et par extension les faits avérés annonçant son succès. Le film arrive, de fait, avec une besace bien remplie. Il est à ce jour vendu dans quarante territoires, y compris aux Etats-Unis où les frères Weinstein, producteurs légendaires, le distribueront au printemps 2012, tout en ayant posé une option pour un possible remake. Par ailleurs, ses avant-premières, tant à l'étranger qu'en France, font un tabac, et les exploitants se l'arrachent.

Le temps est donc venu de juger sur pièces, quitte à constater que cette rumeur ne ment pas. La scène d'ouverture du film, formidablement enlevée, suffirait à dire pourquoi. La scène se déroule nuitamment sur les quais parisiens à 200 à l'heure, vitesse approximative d'une Maserati fuselée blindant sur *September*, tube funk (cuvée 1978) d'Earth, Wind & Fire, poussé lui-même à plein régime. A son bord, un grand Noir jovial tient le volant (Omar Sy), avec, à côté de lui, un petit Blanc tout raide qui rigole dans sa barbe (François Cluzet). Sous l'emprise vraisemblable d'une substance illicite, il s'avère bientôt que les deux compères explosent le code de la route avec une idée derrière la tête. Elle consiste à hameçonner la police nationale, pour s'en payer une grosse tranche.

Ce qui ne manque pas d'arriver. Coursés, puis bloqués, après un délit de fuite caractérisé, par deux voitures banalisées, les passagers du bolide sont mis en joue par des hommes le doigt sur la détente et sommés de descendre les mains en l'air. C'est ici qu'on rit sous cape. Quand le grand Noir explique qu'il conduit le petit Blanc, handicapé en proie à une attaque cérébrale, à l'hôpital, et que ce dernier, les yeux révulsés, se bave généreusement dessus. La Maserati repartira donc, avec l'escorte policière, penaude, qui lui ouvre la route. Et voilà comment s'accomplit ce vieux rêve enfoui par tout citoyen qui se respecte de s'affranchir enfin des lois de la société, de devenir, en un mot, intouchable.

Le plus intéressant reste pourtant à venir, dès lors que le film, repartant en arrière, entreprend de nous expliquer comment ces deux-là se sont rencontrés, ce qu'ils font ensemble, et pourquoi ils en sont arrivés à fomenter des coups aussi stupides. La réponse, qui prend la forme canonique d'un film de tandem comique, est aussi imparable que l'axiome mathématique selon lequel

On dira que tout cela est trop beau. Il se trouve, ultime surprise du film, que cette plaisante utopie se nourrit de la réalité

$(-) \times (-) = (+)$. Les deux zozos trimballent en effet chacun un lourd handicap, que leur union retourne en avantage. Philippe est un richissime aristocrate devenu tétraplégique après un accident de parapente, qui vit désormais seul sans pouvoir remuer autre chose que la tête. Driss est un jeune des « quartiers », issu d'une minorité visible, alternativement abonné à la prison et au chômage, et in fine viré de l'appartement familial par sa mère. Le premier, au terme d'un casting assez cocasse, engage le second comme assistant à domicile, s'il est possible d'employer l'expression dans le cas d'un aussi somptueux hôtel particulier.

Reste au film, et ce n'est pas le moins délicat, à décliner la liste des écarts abyssaux qui séparent les deux hommes, sans renoncer à maintenir ouverte l'hypothèse d'un terrain d'entente, d'une cause commune. Le contrat, servi par deux acteurs épatants et des seconds rôles parfaits, est rempli avec finesse et enjouement. En deuxième rideau, le film file une métaphore sociale généreuse, qui montre tout l'intérêt de l'association entre la Vieille France paralysée sur ses privilèges et la force vitale de la jeunesse issue de l'immigration.

Là encore, une simple règle de calcul impose une évidence : la pérennité du corps social passera par l'exemple que lui fournissent Philippe et Driss, qui s'aident mutuellement à survivre dans le souverain mépris de l'égoïsme et de la connerie environnante. On dira, naturellement, que tout cela est trop beau pour être vrai. Quand bien même cela serait le cas, il faudrait déjà saluer le bon goût de la fiction pour l'avoir inventé. Mais il se trouve, ultime surprise du film, que cette plaisante utopie se nourrit de la réalité. Qu'une telle histoire, dans son malheur et sa grandeur, est bel et bien survenue.

Ses véritables protagonistes, célébrés dès 2003 à la télévision par Mireille Dumas, se nomment Philippe Pozzo di Borgo et Abdel Sellou. Il restait à Nakache et Toledano de tirer Mireille vers Alexandre pour nous livrer, avec la fantaisie et le romanesque requis, l'épopée de ces deux improbables mousquetaires.

Cette réussite, certes surprenante, ne vient pas pour autant de nulle part. Olivier Nakache et Eric Toledano sont déjà les auteurs de trois comédies qui, par la tenue de leur écriture et leur humour fédérateur, plaçaient leur œuvre un cran au-dessus du brouet saumâtre qu'on sert au bon peuple sous le nom de comédie française. Dans *Je préfère qu'on reste amis* (2005), un informaticien mélancolique et inhibé, interprété par Jean-Paul Rouve, cherchait piteusement l'âme sœur. Ce personnage, cela ne s'invente pas, se nommait Claude Mandelbaum. Le signataire de ces lignes, qui ne manqua pas de se sentir visé, laissa passer l'hypothétique insulte et poussa la conscience professionnelle jusqu'à assister au spectacle de *Nos jours heureux* (2006), avec le même Jean-Paul Rouve en directeur de colonie de vacances paumé, puis de *Tellement proches* (2009), dans lequel Vincent Elbaz appuie gracieusement sur le détonateur d'une famille névrotique.

Cette tendre drôlerie, qui fait aimer les personnages plutôt que de les jeter en pâture, est une des forces du tandem. On doit aujourd'hui à l'honnêteté de dire qu'*Intouchables* les fait passer dans une catégorie supérieure, du côté d'une comédie populaire déliée et élégante, façon *OSS 117*, de Michel Hazanavicius (2006), *La Très, Très Grande Entreprise*, de Pierre Jolivet, ou *L'Arnacœur*, de Pascal Chaumeil (produit, il n'y a pas de hasard, par la même société qu'*Intouchables*, Quad Films). ●

Jacques Mandelbaum

Film français d'Olivier Nakache et Eric Toledano. Avec François Cluzet, Omar Sy, Anne Le Ny, Audrey Fleurot. (1 h 52.)

À La Courneuve, dernière séance pour « Intouchables »

Le cinéma de La Courneuve se trouve à quelques pas de la mairie. "L'Étoile" est une salle d'art et d'essai. Bientôt, elle rediffusera *Les 400 coups* de François Truffaut. Et récemment, un karaoké était organisé autour du film *Peau d'Âne* de Jacques Demy. Ce lundi soir, nous n'étions venues voir ni l'un ni l'autre, mais découvrir au milieu des Courneuviens, la sensation du moment, adulée par le public avec plus de 9,5 millions d'entrées.

Une demi-heure avant la projection, les premiers spectateurs se pressent déjà. 5,50 euros le billet plein tarif, 4,50 euros le tarif réduit, et des abonnements jeunes qui permettent d'entrer pour 2,50 euros. Les jeunes justement, les voilà. Ils sont 4 : deux achètent leur places, deux repartent en s'animant ostensiblement : «Eh mais c'est trop cher, tu crois que je vais payer ça, moi ? » Quelques minutes après, l'un des deux revient, et de son sourire le plus innocent, essaye de charmer celui qui déchire les billets en haut des escaliers :
– *C'est* Intouchables *monsieur qui se joue ?*
Réponse affirmative.
– *Et c'est combien l'entrée ?*
– *4,50 euros. À moins que tu aies moins de douze ans ?*
– *J'ai douze ans, juré !* tente l'adolescent, les yeux enjôleurs. (Sourire).
– *Non mais il faut une pièce d'identité, et ce n'est pas avec moi qu'il faut voir, c'est avec le caissier...*
Entre un second groupe, à peine plus vieux, entre 15 et 17 ans. L'un des jeunes tend sa carte de réduction familiale.
– *Alors j'en tamponne combien ?* demande le caissier.
– *Pour lui, lui et lui.*
– *Ah mais non c'est une carte de réduction familiale, c'est juste pour les gens de la même famille...*
Les ados passent plusieurs minutes à négocier auprès d'un caissier compréhensif mais un peu inquiet : «Et dites-moi, vous n'allez pas me mettre le bordel dans la salle ? »

– *Promis !* répondent les jeunes en chœur. Ils semblent trouver un compromis. Gagnent la salle en souriant, où ils s'installent dans les tout premiers rangs. Ce n'est pas comble. Le film est à l'affiche depuis deux semaines, c'est la dernière séance : «Nous n'avons jamais refusé de monde», confie l'ouvreur, mais la salle de 190 places a toujours accueilli au moins 140 personnes «ce qui est un très bon remplissage pour notre cinéma.»
Les ados se sont mis devant. Comme souvent lors des spectacles courneuviens, ils se sont séparés : il y a les rangs de filles et les rangs de garçons. Une bande de mamies à mises en plis s'est installée en carré, sur toute la partie droite. Couples et familles avec enfants d'une dizaine d'années se sont répartis dans les autres rangs.
Ici ni pub, ni bande-annonce, le film commence.
Une course-poursuite entre une voiture puissante conduite par un jeune de banlieue et plusieurs véhicules de police. Premiers rires. Ils s'étoffent quand les policiers sont trompés par les deux héros complices qui en font leur

■ *Article posté sur* La Courneuve, *un des blogs du journal* Le Monde, *le 30 novembre 2011.*

« Ce compte rendu de séance dans un cinéma de La Courneuve est pour moi annonciateur du succès du film, raconte François Clerc. C'est une très bonne synthèse. Il raconte comment le public se démène pour entrer par tous les moyens dans la salle, et surtout que la salle accueille absolument tous les publics, petits et grands, riches et pauvres. N'importe quel exploitant peut alors deviner que le film est réussi. Ce blog résume à lui seul tout ce que nous n'osions pas espérer, même dans nos rêves les plus fous. »

escorte. Un vrai fantasme pour les jeunes spectateurs, qui n'ont pas encore le permis. Changement de décor: un chic appartement parisien, et l'angoisse de l'entretien d'embauche. Mais surprise, ici ce sont les blancs diplômés qui sont ridicules, et le jeune noir, beau parleur, au chômage qui tire son épingle du jeu. Si seulement... Premier dialogue entre le riche tétraplégique et le banlieusard:
– Vous connaissez Berlioz?
– Bien sûr que je connais Berlioz. Mieux que vous!
– Mais je suis un spécialiste de Berlioz!
– Ah oui, de quel bâtiment?
– Avant d'être un quartier, c'est un compositeur célèbre, enfin!
– Mais je sais, c'est une vanne!
La salle est hilare. À La Courneuve, Balzac, Renoir, Ravel, Debussy, Verlaine sont autant de bâtiments et de cages d'escalier. Le jeune Driss prend le pouvoir: lui connaît les deux sens du nom de Berlioz et fait de l'humour, Philippe, le bourgeois cultivé, devient l'ignorant.
Les jeunes exultent.
Quelques minutes plus tard, Philippe, le tétraplégique

dont s'occupent trois personnes, s'adresse à Driss, le bénéficiaire d'allocations chômage: *"Comment vous vivez l'idée d'être assisté?"* avec toute la hargne d'un élu UMP en lutte contre la fraude sociale. Réponse de Driss dans un sourire: «*ça va merci, et vous?*» Arrivent les scènes qui ont déchaîné la colère des critiques: on moque l'art contemporain, on ridicule l'opéra. La scène du baryton en costume d'arbre emporte la salle dans un fou rire absolu. Chaque fois que les jeunes spectateurs reconnaissent leur réalité, on les sent s'animer. Driss qui partage son kebab-frites avec ses copains, en bas de chez lui. Driss qui prend le RER. Driss qui «*tient le mur*» en bas de son immeuble. Ils chuchotent à chaque apparition du petit frère, adolescent de leur âge, qui fricote avec les dealers. Mais dès qu'apparaît la mère, femme de ménage fatiguée, tout le monde se tait. Et lorsque Driss raconte sa propre histoire d'enfant «*donné*» par ses parents à sa tante, le silence est absolu. Ceux qui ne connaissent

pas les quartiers y verront peut-être une incongruité. Mais c'est une réalité qu'une Courneuvienne mauritanienne nous a décrite mot pour mot pas plus tard que cet été. Nous sommes à la fin du film. Nouvel entretien d'embauche. Driss est toujours noir, son cv. n'est toujours pas reluisant. Mais désormais, il connaît les codes qui rassurent les recruteurs. Plus qu'avec son «*pragmatisme*», il sait qu'il séduira davantage en évoquant Goya ou un alexandrin, même pour un boulot de livreur. Le voilà maître des codes du quartier comme de ceux des beaux quartiers. Il triomphe. Fin de la séance. La salle a ri à l'unisson pendant 1 h 52. Et quand débute le générique, ce sont les jeunes du premier rang qui lancent les applaudissements, un tonnerre d'applaudissements. Ils sortent exaltés: «*C'est violent! C'est mortel! C'est à revoir 4 fois minimum! Ça donne une bonne image des jeunes de cité!* » Un héros qui leur ressemble, vu avec bienveillance par 10 millions de spectateurs... Ils peinent à y croire.
A. L

GÉNÉRATION TWITTER
UN FILM PORTÉ PAR LES RÉSEAUX SOCIAUX

À quelques jours de la sortie, le stress est encore plus intense. « Alors que la plupart des signaux étaient au vert et que les exploitants étaient unanimes, on continuait de flipper. » La tournée en province s'étant si bien déroulée, Gaumont décide, en accord avec les réalisateurs, de programmer une nouvelle série d'avant-premières la veille de la sortie, le Ier novembre. Un jour férié qui pourrait profiter au film, se dit-on. Et, en effet, les salles se remplissent en un éclair. Dans le jargon du cinéma, c'est ce qu'on appelle les « avant-premières sèches », c'est-à-dire sans la présence des acteurs. Cette affluence n'est pas un hasard, elle fut portée par Internet. L'effet *Intouchables* s'explique en partie par le rôle fondamental qu'ont joué les réseaux sociaux. Un phénomène nouveau, à l'ampleur non négligeable. La tournée des villes de France effectuée en amont a été soutenue, nourrie et appuyée par Twitter et Facebook qui ont amplifié le traditionnel bouche à oreille.

Les premiers spectateurs et les journalistes partagent leurs impressions dès qu'ils sortent de la salle. « J'ai vu un film incroyable, je suis boule-versé », peut-on lire sur Facebook dès le mois de septembre. En effet, la décision, stratégique, de montrer le film avant sa sortie pour faire monter l'envie s'est accompagnée d'un plan de communication tout aussi fort, mis en place sur les réseaux sociaux afin que ceux-ci puissent servir de caisse de résonance. L'équipe digitale de Gaumont travaille alors en collaboration avec Cinefriends, une société spécialisée dans les stratégies Web, qui connaît parfaitement le film puisqu'elle travaille depuis le départ avec Éric et Olivier. « Il fallait à la fois faire en sorte que les premiers spectateurs donnent envie à leurs amis de voir le film, explique Jérôme, fondateur de Cinefriends, mais aussi s'appuyer sur les leaders d'opinion, comme les blogueurs et les aficionados de Twitter. »

Au mois d'octobre, une première projection réservée aux blogueurs a été organisée dans la salle privée de Gaumont. Par la suite, et devant la demande croissante, d'autres projections ont suivi, jusqu'à l'organi-sation d'une avant-première avec AlloCiné sur les Champs-Élysées. À chaque fois, les messages de ces premiers spectateurs-blogueurs (dont certains reviennent pour la troisième projection consécutive) sont consciencieusement retweetés par les équipes Web de Gaumont et de Cinefriends. Ainsi, dès que quelqu'un parlait d'*Intouchables* sur Twitter, une conversation était immédiatement engagée et permettait de créer un rapport de proximité entre les potentiels spectateurs et l'équipe du film.

Pendant leur tour de France des salles, les deux réalisateurs prennent systématiquement une photo de la salle de l'avant-première, sur laquelle les spectateurs peuvent s'identifier, dès la fin de la projec-tion, lorsqu'elle est postée sur Facebook. Un moyen de permettre aux spectateurs de dire « J'ai vu *Intouchables* en avant-première », mais

Laurent Ruquier ✔
@ruquierofficiel

 Suivre

"Intouchables ", le ciao pantin d Omar Sy ! J ai pleuré, j ai ri ! Excellent !

← Répondre ⇄ Retweeter ★ Favori ••• Plus

30 RETWEETS   **5** FAVORIS

2:12 PM - 5 Oct, 11

Kara Weber @karaweber   13 Avr
The #intouchables is the most fun, smart movie (almost said film, resisted) I've seen in years. Stunning, joy filled, moving, just awesome.
Ouvrir

Daniela Scalia @DanielaScalia   29 Janv
Quasi Amici è un film magnifico, imperdibile la sequenza delle lezioni di musica #intouchables .instagr.am/p/VEVIOWIZCx/
Ouvrir

Sander Rijnders @Focasa   10 Mars
Just watched #Intouchables. Incredible 5-star movie !!
Ouvrir ← Répondre ⇄ Retweeter ★ Favori ••• Plus

Angie @angmarsyd   12 h
Just watched this amazing film!! Couldn't stop smiling & laughing! #intouchables #friendship #love... .instagram.com/p/YOa4OLn8Ea/
Ouvrir

Lolo U Corsu @LoloUCorsu   17 Avr
"Pas de bras, pas de chocolat" #Intouchables #PhrasesHistoriques
Ouvrir ← Répondre ⇄ Retweeter ★ Favori ••• Plus

Louisa Amara @Louisa_A   8 Mars
Toujours envie de danser avec Omar :) #intouchables @fclerc90 @toledanonakache ♫ September by Earth, Wind & Fire — .path.com/p/3LhwSZ

Thomas SOTTO @SOTTO_Thomas   25 Déc
"- vous aimez la peinture ? - J'aime bien Goya... - Depuis Pandi-panda elle n'a pas fait grand chose" #Intouchables
Ouvrir

JACP @te_o_ene_o   5 h
Que par de peliculas las que acabo de ver...#Intouchables y #LifeofPi sin palabras...
Ouvrir

---

aussi de les inciter à laisser un message ou à engager une conversation afin qu'ils partagent leur enthousiasme auprès de leurs proches. Une sorte de « bouche à oreille 3.0 ». Le lancement du film se trouve ainsi démocratisé et surtout définitivement inscrit dans la communication moderne.

L'accueil de la presse est tout de suite positif. Pour les réalisateurs, c'est l'article de Laurent Cotillon dans *Le Film français* qui sera le coup de gong des prédictions. Il est le premier à avoir eu le nez fin, et livre, à cette date, un pronostic qui se révélera d'une grande justesse. « On était contents, bien sûr, mais en même temps, on s'est vraiment demandé si on arriverait à tenir la distance. » N'était-ce pas trop d'attentes, trop d'espoirs placés dans un film ? Il est vrai que, dès les premiers jours de sa sortie, *Intouchables,* déjà passé du statut de « comédie à ne pas manquer » à celui de « film phare de la rentrée », devient le « film événement ». Tout cela en l'espace de moins de trois mois ! Une chronologie, de septembre à début novembre, qui prend des allures de marche en avant tambour battant, et qui dépasse les prévisions de la stratégie promotionnelle. Une véritable

Le film français

La promesse

La question, à ce jour, n'est pas "Le film marchera-t-il ?", question habituelle pour un film qui n'est pas porté par une marque forte ou la suite d'un succès, mais "jusqu'où ira-t-il ?". Voilà donc le genre d'interrogation que suscite aujourd'hui "Intouchables", le 4e opus d'Éric Toledano et Olivier Nakache. Il y a des situations plus inconfortables… Voir un film créer un tel buzz, plusieurs semaines avant sa sortie, est en tout cas plutôt rare. Et réjouissant. Surtout avec une telle intensité. Des labels d'exploitants à foison, un accueil critique extatique, des récompenses qui pleuvent, des avant-premières qui se terminent par des standing ovations… Pas de doute, les ingrédients du succès sont là. Et, selon toute probabilité, il ne manquera pas au rendez-vous. Reste à le quantifier. Et, dans ce domaine, il faut avouer que l'on entend de tout, y compris les hypothèses les plus folles. Ce qui pourrait avoir deux conséquences. La première : voir la gueule de bois succéder à l'ivresse des pronostics si jamais les résultats, au lieu d'être exceptionnels, étaient tout simplement bons, et même très bons. La seconde : oublier que, in fine, c'est le public qui tranche et qu'il faut rester humble face à lui.

Une chose est néanmoins certaine : en cas de succès de "Intouchables", quelle que soit son ampleur, les noms d'Éric Toledano et Olivier Nakache, dont on sait depuis longtemps qu'ils sont porteurs de belles promesses, feront leur entrée dans le cercle très restreint des réalisateurs que l'on s'arrache, et capables de donner à la comédie française un souffle nouveau. L'autre sujet brûlant – porté par la vague Netflix – est le développement de la SVàD (la vidéo à la demande par abonnement). Un modèle dans lequel certains professionnels n'hésitent pas à voir le futur de la VàD, qui elle-même serait l'avenir de la vidéo. Un avenir sur lequel la chronologie des médias jette pourtant une ombre. Un tel service peut-il se développer avec une fenêtre de 36 mois pour les nouveautés ? La question reste entière et à étudier, de même que les conditions d'un assouplissement, s'il devait y en avoir un. Cela apparaît en tout cas aujourd'hui comme le principal frein à son expansion, et vient s'ajouter à la masse d'interrogations qui entourent le devenir de la vidéo, au chevet de laquelle il faudrait se pencher de manière concertée afin de lui assurer des jours meilleurs.

Laurent Cotillon, directeur d'édition

■ Le Film français, *magazine hebdomadaire des professionnels du cinéma. Édito du 26 octobre 2011, une semaine avant la sortie.*

montée en puissance, alors que rien n'était prévu pour cela ! Là encore, le hasard, les coïncidences, les « rendez-vous manqués » des autres films sortis à cette époque, vont propulser *Intouchables* vers son succès inespéré.

Avant même sa sortie officielle, le film a déjà atteint un niveau de notoriété bien supérieur à la moyenne. Le jour de la sortie nationale, les deux réalisateurs et leurs acteurs se donnent rendez-vous devant le plus grand cinéma de France par sa capacité : l'UGC Ciné Cité Les Halles de Paris.

La veille, Omar a posté sur Facebook une vidéo où il avoue sa curiosité : « Mais qui sont ceux qui vont au cinéma le mercredi matin ? J'ai vraiment envie de voir les *chelous* de 9 heures du matin ! » Le public s'avère très disparate, mêlant des infirmières, des travailleurs de nuit, des cinéphiles passionnés et des solitaires, principalement des habitués des séances d'ouverture. Toute la matinée au cœur du multiplexe des Halles, les deux acteurs accompagnés des réalisateurs glissent leurs têtes dans les salles lors des séances et discutent avec les premiers spectateurs dès leur sortie. Omar s'amuse ainsi à comparer les « *chelous* de 9 heures du matin » avec ceux de 11 heures.

La troupe se dirige ensuite vers l'UGC Bercy pour la séance de 14 heures, avant d'aller aux Champs-Élysées pour celle de 20 heures. C'est ce qu'on appelle « prendre la température des salles ». Éric, Olivier et toute l'équipe sont soucieux de voir les réactions du public. Et quand il s'agit d'aller au contact des spectateurs, l'équipe est infatigable. François et Omar ne cessent de signer des autographes à la chaîne. « Il y a une scène que je n'oublierai jamais, raconte François Clerc. Nous avions quitté le cinéma des Halles et étions en route vers celui de Bercy, tous entassés dans une grande voiture familiale. Soudain, les chiffres tombent : plus de cinq mille sept cents spectateurs à 14 heures, un chiffre rarissime. Nous avons été obligés de nous arrêter. On voulait tous descendre de voiture pour prendre l'air ! On est restés ainsi, sur le bord de la route, un petit moment, sans trop y croire. » Sur les téléphones portables des réalisateurs, de François Cluzet et d'Omar, la réalité les rappelle : leurs amis les bombardent de messages enthousiastes et de photos de salles affichant complet.

À l'approche de 20 heures, les téléphones sonnent sans arrêt. Cohue devant les caisses, salles archicombles, applaudissements spontanés au moment du générique de fin, partout le même scénario se déroule. « Il y avait quelque chose de presque fusionnel dans ces files d'attente. Une ambiance assez bon enfant. » Et ce qui se passe dans les salles parisiennes est en train de se produire dans toute la France. Le film était désiré. Et sans doute correspondait-il à une attente. Vers 23 heures, tout le monde est réuni chez Gaumont pour fêter ces chiffres inattendus. L'ambiance est festive, joyeuse. 80 000 ou 100 000 entrées sont en général synonymes d'une excellente journée. François Clerc se souvient : « Le 2 novembre, le film a fait 191 000 entrées. Inespéré. Si l'on ajoute les avant-premières, on atteint 276 000 spectateurs ! Nous étions aussi heureux que surpris de ce chiffre, qui en annonçait beaucoup d'autres. Ce premier mercredi a été multiplié par dix la première semaine. Et la deuxième semaine a vu les entrées augmenter de 50 %, pour monter à 2,8 millions de spectateurs, en quinze jours seulement. Concrètement toutes les séances étaient complètes ! »

Le film était désiré. Et sans doute correspondait-il à une attente.

Intouchables est déjà un phénomène. Par l'attente qu'il a su créer, par les chiffres très vite hors du commun. Ce qui amuse, aujourd'hui, l'un des producteurs, Laurent Zeitoun. « Pour ma part, je n'ai jamais cédé à l'analyse sociologique selon laquelle ce film répondait à la crise ou à un besoin de vivre ensemble. Pour moi, s'il a si bien fonctionné, c'est parce qu'il s'agit d'une belle histoire et d'un beau film, dans la grande tradition des films de duos. C'est aussi simple que cela. » Cependant, pour Yann Zenou, le troisième membre du trio de producteurs avec Nicolas Duval et Laurent Zeitoun, « les succès sont toujours associés à un contexte ». Au milieu d'un automne morose, « les gens avaient besoin, en France comme ailleurs, de retrouver un message de fraternité, d'entraide et d'espoir. Le film est tombé pile au bon moment ».

Cette divergence de points de vue à l'intérieur même du cercle restreint de l'équipe d'*Intouchables* montre bien que ce succès, aussi gigantesque qu'inattendu, ne peut s'expliquer par un unique facteur. Les raisons sont plurielles, et c'est ce qui fait la beauté de ce métier. Les deux producteurs sont aux premières loges d'une expérience qui ne ressemble en rien à la sortie de leur précédente production, *L'Arnacœur*, une comédie qui va pourtant aussi trouver son public. « À un moment donné, dit Laurent, je me suis dit qu'*Intouchables* était macrophage. J'étais devenu observateur d'une chose qui se nourrit d'elle-même, qui aspire et dévore ce qu'il y a autour d'elle. C'était incontrôlable, on ne maîtrisait plus rien. Comme une machine qui avance toute seule et grossit, sans que l'on sache où cela va s'arrêter. » Une expérience de producteur qui reste ancrée dans leur mémoire : « Je me souviens de la projection du tout premier montage, raconte Laurent Zeitoun. Nous étions cinq dans une petite salle. Lorsque les lumières se sont rallumées, nous sommes tous restés deux longues minutes en silence. » Même impression de souffle coupé pour Yann Zenou, qui se rappelle de ce moment de mutisme et de surprise des trois producteurs face aux auteurs qu'ils connaissent depuis des années. « Nous avions sous-estimé la puissance émotionnelle du film. Même si nous avions adoré dès le départ le scénario, que nous avions suivi les différentes étapes du tournage ainsi que celles du montage, il s'est passé quelque chose de miraculeux lorsque nous avons découvert le film fini. On s'est vraiment pris une claque, c'était un moment magique. »

Chacun aura eu sa part de rêve dans cette aventure. *Intouchables* tout juste sorti, Éric et Olivier font la tournée des salles et vont au contact des spectateurs pendant encore une bonne quinzaine de jours. De gaieté de cœur. Tout comme François Cluzet et Omar Sy, pourtant pris à cette époque, l'un sur un tournage avec Yvan Attal, l'autre par le « Service Après-Vente ». Tous les soirs, avec la complicité des exploitants, ils pénètrent discrètement dans une ou plusieurs salles et assistent, incrédules, à l'envolée de leur film. Ils traversent cette période en apnée, survolant les événements, et, comme souvent dans les phases de grand bonheur, attendent anxieusement le pépin ou l'annonce qui mettra brutalement fin à ce rêve.

LA DÉFERLANTE MÉDIATIQUE

La vie des uns et des autres est en train de changer. Les comédiens doivent faire face à une déferlante médiatique. Épuisés au bout de trois semaines d'interviews non-stop, ils demandent une trêve. Éric et Olivier prennent le relais, avant de laisser leur place, en janvier, aux vrais protagonistes de l'histoire, Philippe Pozzo di Borgo et Abdel, alors que le film

Omar Sy et François Cluzet, l'un est pauvre, l'autre impotent. PHOTO THIERRY VALLETOUX

«Intouchables» ? Ben si...

BISOUNOURS
Enorme succès, la comédie sociale bien pensante d'Eric Toledano et Olivier Nakache, déploie tous les unanimismes du moment. Visite guidée.

Par **BRUNO ICHER**, **GÉRARD LEFORT** et **DIDIER PÉRON**

A
u lendemain de la troisième Journée mondiale de la gentillesse, entre *Intouchables* et Indignés, nous sommes pris dans les deux mâchoires d'un même étau : dire du mal, c'est pas bien. La comédie d'Eric Toledano et Olivier Nakache, sortie le 2 novembre, n'est déjà plus un film mais, du haut de ses plus de 2 millions d'entrées, un de ces fameux phénomènes de société qui contraint à se poser la question de l'unanimité. *Intouchables*, la polysémie du mot est riche : elle désigne la plus basse extraction dans le système indien des castes, pas touche aux intouchables, parias et maudits. Mais toucher aux *Intouchables* se serait aussi toucher aux *Incorruptibles* (the *Untouchables* en VO) avec le risque afférent de se prendre, au mieux, une baffe. Touche pas aux *Intouchables*, comme on dit «*Touche pas à mes potes !*» Osons cependant que le succès du film est le fruit d'un conte de fées cauchemardesque : bienvenue dans un monde sans. Sans conflits sociaux, sans effet de groupe, sans modernité, sans crise. A ce titre, en cet automne, il est LE film de la crise, comme si la paralysie d'un des deux personnages principaux n'était pas seulement celle du film, mais celle d'un pays immobilisé et de citoyens impotents à qui il ne resterait plus que leurs beaux yeux pour rire et pleurer. Le beau et plat pays des Bisou-

nours raconté par un film terriblement gentil. Visite guidée en sept symptômes.

L'histoire, c'est vrai

A deux reprises, *Intouchables* souligne que «*ceci est une histoire vraie*». Une première fois dès le générique, comme des centaines d'autres films qui trouvent dans cette formule magique la légitimité indiscutable de leur propos. Peu importe la manière dont cette histoire va être racontée, elle est «vraie». Avec ces *Intouchables*, on est donc aimablement priés, un flingue émotionnel sur la tempe, de s'attendrir sur la situation respective des deux personnages, l'un grand bourgeois dans un corps cabossé (tétraplégie), l'autre, black de banlieue, abonné au trouve un second souffle dans les salles au lendemain des fêtes de Noël. « Nous n'avions aucune idée de ce que pouvait être le succès, n'ayant jamais connu une telle expérience avec nos trois films précédents. Un acteur peut s'attendre à ce qu'un jour ou l'autre le projecteur soit braqué sur lui. Nous, nous n'étions absolument pas préparés à recevoir, d'un coup, des dizaines de demandes d'interviews par jour. On a tenté de répondre à toutes les demandes même si nous n'avions pas le recul nécessaire pour analyser le succès et l'engouement que provoquait *Intouchables*. »

En novembre, après deux semaines durant lesquelles le film reçoit une presse dithyrambique, quelques critiques négatives apparaissent. Parmi celles-ci, *Libération*, qui pourtant écrivait le jour de la sortie « Ce récit opère la synthèse parfaite du "on rit, on pleure", que demander de plus? », effectue un revirement assez surprenant, seulement dix jours plus tard. Le 14 novembre 2011, le quotidien s'étonne désormais que la banlieue soit réduite au goût de grosses cylindrées et titre : « "Intouchables" ? Ben si... » Gérard Lefort, Didier Péron et Bruno Icher s'insurgent contre ce film « Bisounours » qui se moque de l'opéra et de l'art contemporain. Pour *Marianne* et les *Cahiers du cinéma*, le film ruisselle de « bons sentiments ».

Dans *Les Inrockuptibles*, Jean-Marc Lalanne titre « Une fable relou et démagogique ». Ces critiques froissent moins les deux réalisateurs que la course aux chiffres qui excite les médias. Le film va-t-il dépasser le score de *La Grande Vadrouille* et ses dix-sept millions d'entrées ? Alors qu'un mois après sa sortie, *Intouchables* dépasse déjà les six millions de tickets vendus, tout le monde se demande s'il va détrôner le duo de Funès-Bourvil. L'œuvre de Gérard Oury est l'étalon de référence, car il fut, pendant près de trente ans, le film le plus vu par les Français, avant d'être dépassé par *Titanic*, puis par les tribulations du facteur Dany Boon et ses vingt millions de spectateurs. « Nous n'avions aucun désir de battre qui que ce soit. L'idée d'atteindre des records ne nous avait jamais effleuré l'esprit et le fait de parler du film sur le ton des paris ne nous a jamais motivés. Par ailleurs, l'idée constante des comparaisons n'a pas vraiment de sens pour nous, car la force d'un film se mesure à l'aide de différents paramètres dont un, non négligeable : sa durée de vie. » Or, s'il est certain que *La Grande Vadrouille* a traversé les époques, qui sait ce qu'il en sera d'*Intouchables* dans trente ans ?

■ *Brainstorming entre Éric Toledano, Olivier Nakache, Mathieu Vadepied et Omar Sy, en pleine concentration.*

Face à ce succès, une personne va particulièrement les aider : Gad Elmaleh. Quand on parle de l'amitié qui soude le duo Nakache-Toledano, on ne peut s'empêcher d'évoquer cet ami de toujours, sans doute parmi les plus fidèles. C'est avec lui qu'ils ont tourné leur deuxième court-métrage. Un avis sur un film ? Une réaction après un spectacle ? Entre eux, ils ont pris l'habitude de tout se dire. Pour avoir une franche conversation, Gad propose à Éric un rendez-vous dans un café. La discussion va durer trois heures. « Le succès n'est pas toujours facile à gérer », prévient-il. Lui-même est déjà passé par toutes les phases de la notoriété et en a expérimenté les aspects négatifs et positifs. « Sur le coup, explique Éric, j'avoue que je n'ai pas saisi le sens de cette phrase. Ce n'est que plusieurs mois après que j'en ai compris toute la portée. » Des confidences intimes, quelques mises en garde, des conseils d'ami. « C'est une conversation qui restera », dit Éric.

Gad Elmaleh est en effet un homme réputé, d'après ses proches, pour sa franchise. Ceux qui le fréquentent régulièrement ne s'étonnent pas de son naturel, et de ses blagues qu'il décoche parfois comme des flèches. Sur Twitter, où il est particulièrement actif, il dialogue avec ses fans. Lorsque je le rencontre, dans un bel hôtel près de la place Vendôme, il est en pleins préparatifs pour son nouveau spectacle, enchaîne les rendez-vous les uns derrière les autres, mais éprouve un plaisir manifeste à prendre du temps pour parler de son amitié avec les deux

« À la fin du film, j'étais en larmes. Bouleversé. Je les ai serrés dans mes bras. Les mots me manquaient. Je sentais qu'il s'était passé quelque chose d'unique dans cette salle. » Gad Elmaleh

réalisateurs qui a démarré il y a vingt ans. Nous égrainons les souvenirs. Les liens sont forts et remontent à leurs débuts, notamment au court-métrage *Les Petits Souliers*, dans lequel Gad apparaît déguisé en Père Noël. « On a vraiment démarré ensemble, se souvient-il avec émotion. On passait des heures dans mon studio. À l'époque, j'habitais un tout petit appartement dans le 10e arrondissement de Paris, on discutait de nos projets et on avait des conversations interminables pour la préparation de ce court-métrage. » La complicité, née aussi de leurs origines communes, grandit d'année en année.

Si bien qu'aujourd'hui Éric figure parmi les rares confidents de Gad. « C'est lui que j'appelle quand j'ai envie d'avoir un avis sincère sur un de mes spectacles ou un film. Et vice versa. Je me souviens d'une longue discussion que nous avons eue après un spectacle à Rouen. Pendant tout le trajet du retour, Éric m'a fait un debrief attentif et détaillé. C'est un ami intime. » Je lui demande plus de détails sur les deux réalisateurs, sur leur personnalité. « Éric a une obsession, le rire grave. Il est en permanence travaillé par la question. Il a depuis toujours des interrogations existentielles et spirituelles qui transparaissent dans son humour. Olivier, lui, pratique ce que j'appelle le rire de détachement. Un rire qui permet de prendre du recul. Les deux ensemble, c'est magique. »

Gad apprécie « la culture des petites choses », ces infimes détails et ces gestes essentiels qui permettent d'entretenir l'amitié, et que tous trois privilégient. « Le soir des César, par exemple, on n'a pas arrêté de s'envoyer des vannes par sms. Je trouvais que c'était plutôt sain de la part d'Éric et Olivier de prendre le temps d'écrire des textos, alors qu'ils étaient en train de vivre un moment historique pour eux. » Les trois amis se sont retrouvés à New York, alors qu'*Intouchables* était récompensé par la presse américaine et que Gad présentait son dernier spectacle. « Nous étions comme des gamins, se souvient-il. On faisait les andouilles dans les taxis. »

Nous n'avions aucun désir de battre qui que ce soit. L'idée d'atteindre des records ne nous avait jamais effleuré l'esprit et le fait de parler du film sur le ton des paris ne nous a jamais motivés.

Gad Elmaleh compare cette amitié à celle qu'il a eue avec Christian Fechner et Claude Berri. « Deux immenses producteurs, qui portaient un regard expérimenté et sage sur le métier et sur le succès. » Lui aussi s'est autorisé, depuis le début, quelques conseils, en poussant Éric à avoir davantage d'ambition. « Avant *Intouchables*, je savais qu'ils pouvaient aller encore plus loin, encore plus haut. Car ils ont en permanence le souci de l'effet comique, mais aussi l'envie de s'améliorer. » « Avec Gad, on peut tout se dire », confirme Éric. La projection réservée aux amis, organisée au Max Linder, reste un moment d'émotion rare. « Je savais que ce sujet leur tenait à cœur depuis longtemps car je les avais accompagnés à Sarcelles et j'avais vu à quel point ils étaient impliqués dans l'association Le Silence des Justes, dont je suis le parrain. À la fin du film, j'étais en larmes. Bouleversé. Je les ai serrés dans mes bras. Les mots me manquaient. Je sentais qu'il s'était passé quelque chose d'unique dans cette salle. J'ai eu l'impression de recevoir un coup de poing dans l'âme. »

INTOUCHABLES, LES ATTAQUES SE POURSUIVENT

L'emballement médiatique est à son comble lorsqu'un journaliste de *Variety*, un célèbre magazine américain consacré à l'industrie du spectacle, publie un article accusant *Intouchables* d'être un film raciste. Un simple article dans la presse professionnelle, qui aurait pu rester circonscrit au milieu, met le feu aux poudres. Jay Weissberg, le journaliste, parle d'un film « offensant », « raciste », « digne de *La Case de l'oncle Tom* ». Sans le savoir, il lance une offensive qui sera reprise par quelques journalistes influents, notamment A.O. Scott du *New York Times*.

Dans *The New Yorker*, David Denby, même s'il reconnaît de nombreuses qualités aux acteurs, souligne le malaise que lui procure le film par une conclusion lapidaire : « The entire movie is an embarrassment » (« Le film entier est embarrassant »).

François Truffart, directeur du festival ColCoa de Los Angeles, donne une explication à cette surprenante réception du film. « La question du racisme, notamment entre Noir et Blanc, est un sujet particulièrement sensible aux États-Unis. Par conséquent, quelque chose qui nous paraît, à nous Français, extrêmement naturel, et que le film dénonce évidemment de manière intelligente et drôle, n'a pas du tout été saisi de la même manière par ces journalistes. »

Toutefois, en quelques jours, le monde entier s'interroge sur cette thèse. Tout le monde y va de son analyse et avance ses arguments. Éric et Olivier se rendent alors compte que leur film est comme une torche, qui peut s'enflammer très vite.

Comment stopper l'incendie ? Un homme va habilement contrer le débat. Un professionnel réputé pour son sens aigu de la communication. Le producteur et distributeur américain Harvey Weinstein qui, depuis Cannes, a pris le film sous son aile.

Très vite, Weinstein mesure le danger pour la carrière du film aux États-Unis. Il propose aux associations de défense de la communauté noire, des rappeurs et des intellectuels, de venir voir le film afin de contrer cette vision excentrique du film. Il organise plusieurs projections pour débattre avec les détracteurs ou avec ceux qui souhaitent se faire une idée sur le film. Une autre idée lui vient : faire en sorte qu'

Variety, 29 septembre 2011.

Though never known for their subtlety, French co-helmers/scripters Éric Toledano and Olivier Nakache have never delivered a film as offensive as "Untouchable", which flings about the kind of Uncle Tom racism one hopes has permanently exited American screens.

By Jay WEISSBERG

Though never known for their subtlety, French co-helmers/scripters Éric Toledano and Olivier Nakache have never delivered a film as offensive as "Untouchable", which flings about the kind of Uncle Tom racism one hopes has permanently exited American screens. The Weinstein Co., which has bought remake rights, will need to commission a massive rewrite to make palatable this cringe-worthy comedy about a rich, white quadriplegic hiring a black man from the projects to be his caretaker, exposing him to "culture" while learning to loosen up. Sadly, this claptrap will do boffo Euro biz.

"Untouchable" proudly states it's based on a true story, though tellingly, the caretaker in real life is Arab, not black. Fabulously wealthy Philippe (François Cluzet) was in a paragliding accident some years earlier and can't move from the neck down. His wife has died; his adopted daughter, Elisa (Alba Gaia Bellugi), is a snot-nosed teen; and his staff keeps him coddled in an upper-class cocoon.

But Philippe goes through caretakers like water. Applying for the new opening is Driss (Omar Sy), a guy just out of the slammer after a six-month stint for robbery; he only turns up because he needs a signature on the rejection slip to make him eligible for unemployment benefits. To the surprise of personal secretary Magalie (Audrey Fleurot), Philippe hires the lanky, unflappable Driss, knowing he'll be entertained if nothing else.

Driss'infectious bonhomie makes him indispensable to Philippe, encouraging him in romance and generally blowing fresh air into the stolid household with his crude but warmhearted manners. The helmers, as usual (Those Happy Days, "So Happy Together... "stock up on plenty of gags, taking hoary potshots at modern art, opera and "high" culture (think "Trading Places", but less subtle) via the very tired idea that a black man from the wrong side of town could only ridicule such things.

In fact, Driss is treated as nothing but a performing monkey (with all the racist associations of such a term), teaching the stuck-up white folk how to get "down" by replacing Vivaldi with "Boogie Wonderland" and showing off his moves on the dance floor. It's painful to see Sy, a joyfully charismatic performer, in a role barely removed from the jolly house slave of yore, entertaining the master while embodying all the usual stereotypes about class and race. The nadir comes when Driss dons a suit and Magalie tells him he looks like President Obama, as if the only black man in a suit could be the president; what's so distressing is that the writers mean for the line to be tender and funny. (For the record, Sy and Obama look nothing alike.)

It's all supposed to induce laughs, and since Sy is such a winning actor and the jokes rarely let up, "Untouchable" may seduce unthinking auds with an infectious breeziness. Incidental music shamelessly plays on emotions, while sampled songs provide atmosphere; the famously prickly Nina Simone, whose "Feeling Good" is included, would not be pleased.

Vous êtes en aperçu
avant impression : revenir
à l'affichage normal »

LE HUFFINGTON POST

en association avec le Groupe **Le Monde**

Obama veut sa projection privée d'"Intouchables"

Le HuffPost | Publication: 21/06/2012 21:38 Mis à jour: 21/06/2012 21:38

CINÉMA - Le film français le plus vu en 2011 va-t-il être diffusé en privé pour Barack et Michelle Obama? <u>Le site américain du</u> *New York Daily News* a en tout cas indiqué que le couple Obama, ayant eu vent du succès du film d'Olivier Nakache et Eric Toledano, aurait demandé une copie du long-métrage pour le visionner à la Maison Blanche ou à Camp David.

Sorti le 25 mai 2012 dans les salles américaines, *Intouchables* n'y rencontre pas le même enthousiasme qu'en France. Peut-être que la version américaine attirera plus les foules. Si on sait déjà que <u>Colin Firth incarnera le personnage de Philippe</u>, le millionnaire tétraplégique, <u>le suspense plane toujours</u> sur l'acteur qui interprétera le personnage de Driss, joué par <u>Omar Sy</u> en France.

■ Tweet du rappeur Puff Daddy,
suivi par près de 6 millions de followers,
13 juin 2012.

Intouchables soit vu à la Maison Blanche. Comme d'habitude, le producteur voit les choses en grand. Il active ses réseaux. Opération réussie. Quelques jours plus tard, Barack Obama fait savoir qu'il va organiser une projection à la Maison Blanche. Un blanc-seing pour le film. La polémique cesse plus vite que prévu, et finit rapidement par s'épuiser.

Intouchables obtiendra finalement plusieurs récompenses aux États-Unis, dont le prix spécial de la critique au festival ColCoa du film français à Hollywood, et le prix du meilleur film au festival international du Wisconsin. Il empochera également plusieurs prix de grandes associations, notamment de l'African-American Film Critics Association mais surtout une nomination aux Golden Globes dans la catégorie meilleur film étranger. Pour les réalisateurs, c'est un joli pied de nez.

INTOUCHABLES À L'ÉLYSÉE

En France, quelque chose d'aussi énorme se produit. Les deux réalisateurs reçoivent un jour un coup de téléphone de l'Élysée. Nicolas Sarkozy souhaite rencontrer les auteurs du film qui a séduit des millions de Français. Une invitation est lancée. Cette rencontre ne sera pas médiatisée promet le bureau du Président, aucune photo ne sera adressée à la presse. À quelques mois d'une élection présidentielle aux enjeux importants, le Président se dit curieux de rencontrer l'équipe de ce film si populaire.

Pour Éric et Olivier, c'est une forme de reconnaissance inattendue, un amusement aussi. « Quelles que soient nos opinions politiques, on s'est dit qu'en tant que citoyens français, être invités à l'Élysée était un honneur et qu'il existait un principe de courtoisie républicaine. » Mais, pour le duo, le plaisir n'est réel que lorsqu'il peut être partagé. « Peut-on venir à plusieurs, avec des membres de l'équipe ? », demande Éric au téléphone. On imagine les quelques secondes de silence au bout du fil. En réalité, cinq minutes plus tard le secrétariat de l'Élysée rappelle pour lui répondre : « Bien sûr, aucun problème. »

Le jour J, s'avancent donc sur le perron le plus célèbre du Faubourg-Saint-Honoré, les deux réalisateurs et François Cluzet, accompagnés de leurs épouses, leurs trois producteurs, mais aussi une vingtaine de techniciens, du chef opérateur jusqu'au monteur. Suivent enfin Sido-

nie Dumas et Nicolas Seydoux de Gaumont. Nous sommes à quelques jours de Noël, un immense sapin trône à l'entrée de l'Élysée. Une visite du palais a été prévue pour tous après le café. Abdel, le « vrai Driss », fait également partie des invités. La photo de famille est joyeuse, bon enfant. Une bonne vingtaine de personnes pour une invitation à déjeuner, on avait rarement vu cela au protocole de l'Élysée.

UN DÉJEUNER AVEC NICOLAS SARKOZY

Une grande table nappée de blanc, des fleurs pastel et des couverts d'apparat : l'ambiance est officielle mais pas solennelle. L'équipe d'*Intouchables* déjeune au palais de l'Élysée.

Comme à son habitude, Nicolas Sarkozy a d'emblée détendu l'atmosphère en pénétrant dans la pièce et en acceptant de poser avec tous ceux qui souhaitaient immortaliser la scène avec leur téléphone portable. Aucune photo de cette rencontre ne sortira. À table, Éric et Olivier découvrent, surpris, un président très cinéphile, qui cite volontiers *L'Atalante* de Jean Vigo et les films de Woody Allen et de François Truffaut. En posant quelques questions précises, ils se rendent vite compte qu'il a vraiment vu ces films et qu'il ne se cache pas derrière des effets d'annonce. Ils évoquent même ensemble des séries américaines comme *24 heures chrono*. Les réalisateurs s'étonnent d'une telle culture télévisuelle malgré la fonction et l'emploi du

temps qu'on imagine pour le Président. « Je les regarde pendant mes déplacements en train ou en avion », répond celui-ci. Tout en déjeunant, ils parlent aussi d'actualité et de politique étrangère. Ils évoquent la situation au Moyen-Orient, en Iran, l'intervention des soldats français en Libye… « Mais on ne s'attendait pas à discuter de *Breaking Bad* avec le président de la République. » Seul Omar est absent de la partie. Mais était-ce réellement possible pour l'acteur de se rendre à l'Élysée ?

Une chose est sûre, il tournait ce jour-là une scène de cascade pour le film *De l'autre côté du périph* et il ne pouvait pas planter quatre-vingts techniciens. Et, même s'il a envoyé une lettre au Président via les réalisateurs ainsi que le coffret des cinq saisons du « SAV » pour s'excuser de son absence, ce qui restera finalement dans les esprits, c'est une confusion qui va curieusement contenter tout le monde dans un flou artistique complet.
Les antisarkozystes sont ravis de cette absence, qu'ils analysent comme un acte de résistance, alors que la lettre au président et le fait qu'Omar ne puisse pas faire faux bond aux quatre-vingts techniciens confortent ceux qui auraient mal pris un refus catégorique ou idéologique.

Tout le monde s'en sort bien. Omar n'est ni un rebelle, ni un dangereux gauchiste. Le président de la République ne semble pas avoir récupéré le succès du film à son avantage et passe pour un Français comme les autres, qui a succombé au charme d'une comédie généreuse. Et les membres de l'équipe du film venus à l'Élysée évitent l'étiquette de sarkozystes convaincus.

•

Le paradis souhaité

Dominique Desjeux est non seulement un anthropologue réputé, mais c'est aussi un homme qui aime rire et plaisanter. Pour se présenter en dehors de ses activités universitaires, il me donne d'emblée, et pêle-mêle, quelques informations plus personnelles: « Ma fille aînée est mongolienne, ma femme est juive, j'ai un fils homosexuel, j'ai vécu huit ans en Afrique, une partie de ma belle-famille vit en banlieue à Épinay. L'humour noir sur le handicap, je le pratique au quotidien chez moi. Je connais aussi la difficulté de vivre en banlieue et les incivilités qu'on y rencontre parfois. » Voilà qui est dit.

Intouchables ? Bien sûr qu'il avait vu le film. Et comme des millions de Français, il ne s'est pas privé de rire dans la salle. « Ce qui m'a frappé, c'est le côté conte de fées extrêmement émouvant. C'est à la fois drôle et sensible. On en ressort touché. » Mais ce que le professionnel retient, c'est que ce film analyse avec justesse la société française. « *Intouchables* montre à quel point la dimension interculturelle est centrale en France. Ce n'est pas une donnée cruciale en Chine, ou même en Asie », relève ce globe-trotter qui, d'interventions en colloques, a sillonné le monde et peut aujourd'hui comparer les comportements et les habitudes existantes d'un pays à l'autre. «C'est une question importante aux États-Unis, mais moins que celle du terrorisme. En revanche, la France et la Grande-Bretagne sont les deux pays où ce sujet est brûlant. » Le succès du film serait donc, selon Desjeux, révélateur de l'importance de la question des origines culturelles dans notre pays. « Lorsque l'on sonde des panels, en utilisant les associations d'idées, on observe que le terme *immigration* fait surgir d'emblée les mots *banlieue, difficultés, salafistes, arabes, braquage,* même si les personnes interrogées ne sont pas racistes. Ce sont des associations automatiques, qui renvoient sans doute à une image diffusée par les médias. La nouveauté avec *Intouchables*, c'est le message positif qu'il transmet tout en parlant de la banlieue et de l'immigration. Ce phénomène a dû jouer sur l'imaginaire inconscient en donnant un écho positif à quelque chose qui était spontanément perçu comme négatif. » Autre élément qui explique en partie l'engouement pour le film, la représentation de l'homme riche qui y est donnée. En France, dit-il, « nous avons un mal fou avec la richesse comme le montrent les affaires récentes autour de Liliane Bettencourt et de Gérard Depardieu. Il existe un imaginaire négatif au sujet des riches qui, d'habitude, n'ont pas bonne réputation.

« Et le film tape dans le mille avec l'image de l'homme fortuné; Cluzet apparaît d'abord comme un individu revêche et austère, cloîtré dans sa culture entre l'art moderne et la musique classique, et dont on a envie de moquer le foulard et la veste de velours. Mais il va se révéler de plus en plus sympathique à mesure que le film progresse. C'est nouveau, et ça chatouille au passage notre inconscient collectif en mettant une croix sur la traditionnelle lutte des classes. Un banlieusard et un homme riche, deux "images inconscientes négatives" typiques de la culture française, qui soudain résonnent de façon positive, voilà qui a dû susciter un intérêt pour beaucoup de spectateurs. »

Comme souvent, c'est l'humour qui sert de trait d'union pour lier deux antagonismes, comme dans *Les Visiteurs* ou *Bienvenue chez les ch'tis*. Car le rire est souvent l'expression d'une forte tension, ou d'une angoisse collective. L'humour noir, ou l'humour juif sur la Shoah, sont une manière d'évacuer la peur de la mort. Dans le film, le spectateur prend conscience qu'« être handicapé peut arriver à tout le monde », nous dit Desjeux.
Mais le malaise éprouvé à la vue du handicapé, du riche ou de l'homme de banlieue, est désamorcé grâce à l'humour.

Le film révèle aussi un fantasme français: l'aspiration à l'unité nationale. « Cette envie est profondément ancrée en France. Elle dépasse les clivages gauche-droite et est présente dans tous les courants (dans le gaullisme, le catholicisme social ou la Jeunesse ouvrière chrétienne), dans toutes les couches de la population. » Pour l'anthropologue, *Intouchables* exprime la soif de vivre ensemble de tout un pays. Les riches avec les pauvres, les valides avec les handicapés, les Noirs avec les Blancs, les banlieusards avec les habitants du centre-ville.

Le film confirme que le fantasme de la vie collective est toujours aussi fort en France. Nous vivons dans un pays qui rêve d'une société plus harmonieuse, et d'un individu qui s'affranchirait de ses contraintes, comme celles de la banlieue ou du chômage.
Dominique Desjeux conclut avec une certitude: ce n'est pas un hasard si des millions de gens se sont précipités pour voir ce duo.

상위 1% 귀족남과
하위 1% 무일푼이 만났다!

2100만명을 무장해제시킨 고감동실화

언터처블
1%의 우정

Written and directed by Eric Toledano and Olivier Nakache

3월, 전대미문 흥행 센세이션을 만난다

LA PELÍCULA QUE ESTÁ ROMPIENDO RECORDS EN TODO EL MUNDO

★★★★

"Más de 350 millones de dólares en taquilla"

"Una comedia que te toca el corazón y conquista"

"Una película que hace que tu día sea maravilloso"

EL CAMBIÓ SU VIDA

François Cluzet   Omar Sy

Amigos
para siempre

Escrita y dirigida por Eric TOLEDANO y Olivier NAKACHE

GAUMONT Présente Une Production QUAD

קומדיה נפלאה שהקסימה 19 מיליון צרפתים
וטוחפת את העולם

פרנסואה קלוזה • עומר סי

מחוברים לחיים
מבוסס על סיפור אמיתי

זוכה

INTOUCHABLES
תסריט ובימוי אריק טולדנו ואוליביה נקש

UM DOS MAIORE

GAUMONT Apresenta
Uma Produção QUAD

Inv

DIN 20 APRIE

GAUMONT giới thiệu
Một hãng phim của QUAD

Bộ phim với hơn 30 triệu người xem trên toàn thế giới.

François Cluzet   Omar Sy

1+1

Intouchables

Kịch bản và đạo diễn bởi Eric TOLEDANO và Olivier NAKACHE

15.06.2012

François Cluzet   Omar Sy

Untouchable

Written and directed by Eric Toledano and Olivier Nakache

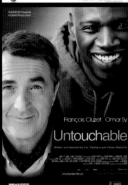

40 MILLION PEOPLE WATCHED THIS FILM!
Rs. 2000 CRORES WORLDWIDE BUSINESS

MORE THAN - 5 AWARD WINNER

GAUMONT Presenta
Une Production QUAD

François Cluzet

Intouchables

Written and directed by Eric Toledano and Olivier Nakache

RELEASING ON 13TH JULY ALL OVER IN INDIA

GAUMONT bemutatja
QUAD legújabb produkcióját

François Cluzet   Omar Sy

életrevalók

Írta és rendezte ERIC TOLEDANO és OLIVIER NAKACHE

DECEMBER 22-TŐL A MOZIKBAN!

FACEBOOK.COM/BUDAPESTFILM

François Cluzet   Omar Sy

Nedodirljivi

Scenaristi i redatelji Eric TOLEDANO i Olivier NAKACHE

François Cluzet   Omar Sy

Intocable

Una película escrita y dirigida por Eric Toledano y Olivier Nakache

DE FEEL GOOD FILM DIE NEDERLAND VEROVERT!
REEDS MEER DAN 700.000 BEZOEKERS !

François Cluzet   Omar Sy

Intouchables

Geschreven en geregisseerd door Eric Toledano en Olivier Nakache

O filme sensação do ano!
Uma história verídica que inspira milhões de espectadores por todo a Europa

François Cluzet   Omar Sy

Amigos
Improváveis

Um filme escrito e realizado por Eric Toledano e Olivier Nakache

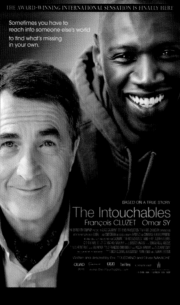

CHAPITRE V

L'AVENTURE *INTOUCHABLES* À TRAVERS LE MONDE

« **Q**uelle incroyable sensation que de se retrouver ambassadeurs de la France ! » Dormir au palais Farnèse à Rome, à l'ambassade de France à Madrid, être reçus avec les honneurs au Japon ; voilà quelques moments forts de ce qui fut un quasi-tour du monde commencé aux premiers jours de l'année 2012. Une quinzaine de pays visités en dix mois.

Avions, voitures, trains, pendant cette année de tournée les deux réalisateurs ne cessent de se déplacer. « Nous avons vécu ce voyage comme une opportunité exceptionnelle, et comme une chance unique, c'est pourquoi nous avons décidé de tout stopper et de vivre ces moments pleinement. » Avec plus de trente millions de spectateurs hors de nos frontières, du jamais vu pour un film français, *Intouchables* devient le film en langue non-anglaise le plus vu au monde.

Sans doute a-t-il été aidé par l'élan général de l'année 2012, portée par le succès de *The Artist*. Une année exceptionnelle pour le cinéma français avec une fréquentation record depuis quarante-cinq ans (204 millions d'entrées). Ce succès mondial dépasse le précédent record d'*Amélie Poulain*, resté comme le film emblématique du début des années 2000.

Mais ce qu'il y a de particulier dans la carrière d'*Intouchables* à l'étranger, c'est que le film attire des publics aussi différents que l'audience allemande (8,9 millions d'entrées), espagnole (2,5 millions), italienne (2,5 millions) ou encore hollandaise (1,2 million de spectateurs). Dans tous ces pays, comme en Suisse, en Autriche, en Israël, au Danemark, en Islande et en Estonie, *Intouchables* devient le plus grand succès français jamais recensé.

Encore plus étonnant, lorsqu'il quitte l'Europe, le film continue de réaliser des performances : il devient le plus grand succès de tous les temps en langue française en Corée du Sud (1,7 million d'entrées), au Mexique (1,6 million), au Brésil (1 million), en Colombie (500 000 entrées), mais aussi au Venezuela, au Pérou, à Hongkong, en Nouvelle-Zélande et en Norvège.

Difficile d'apporter des analyses rationnelles face à un tel engouement international, ou du moins de proposer une seule explication. Dans la presse étrangère, on observe des constantes : les acteurs, les dialogues, le sujet, partout jugé politiquement incorrect, séduisent. Les critiques reconnaissent des qualités au film, apprécient le ton de la comédie et sont agréablement surpris par cette amitié improbable. Dans quelques pays, comme le Japon, c'est le personnage d'Omar Sy qui a capté toute l'attention, ou plus exactement son physique et son sex-appeal. À Tokyo, les réseaux sociaux grouillaient de remarques et de plaisanteries à ce sujet au lendemain de la sortie du film.

Un film qui traverse ainsi les frontières, qu'est-ce que cela raconte sur le monde d'aujourd'hui ?

L'autre particularité de cette carrière internationale, est qu'elle s'effectue dans un contexte qui a radicalement évolué depuis *Amélie Poulain*. « En cinq ans, le marché est devenu beaucoup plus difficile pour les films français, explique Régine Hatchondo, alors directrice générale d'*Unifrance*, l'organisme chargé de la promotion et de l'exportation des films français à l'étranger. Avec la crise, de nombreuses salles qui diffusaient régulièrement nos films ont fermé car peu de pays ont, comme la France, un système d'aide et de soutien aux salles d'art et essai. À cela s'ajoute que le passage au numérique a coûté très cher, et a, lui aussi, entraîné la fermeture de certaines salles. Autre difficulté à contrer, les majors ne nous font pas de cadeaux, et la politique des États-Unis pour conquérir les marchés internationaux est très offensive. Les grandes villes du monde entier optent de plus en plus pour une stratégie de placement des grandes salles en périphérie urbaine, en multiplexe, où la programmation est constituée à 80 % de films américains. À Buenos Aires ou à Tokyo par exemple, beaucoup de petits cinémas qui avaient l'habitude de projeter des films français ont fermé. » C'est donc dans un environnement difficile, et fortement concurrentiel, qu'*Intouchables* s'est frayé un chemin et a réalisé un quasi-sans-faute autour du monde.

« Un film qui traverse ainsi les frontières, qu'est-ce que cela raconte sur le monde d'aujourd'hui ? » C'est l'une des questions que se posent fatalement les différents protagonistes de cette histoire, les acteurs, les producteurs et surtout les réalisateurs. Une première évidence, le succès fait écho à l'enthousiasme français. Partout où il fut présenté, le film apparaissait comme un phénomène, et suscitait la curiosité. « Le succès a engendré le succès, dit-on chez Unifrance. Les résultats français ont constitué à eux seuls le meilleur argument commercial qui soit. » Sur l'affiche allemande, on peut lire : « Déjà plus de 13 millions de spectateurs en France ! »

Ensuite, il faut reconnaître que le message de réconciliation que porte le film a été entendu partout, ou presque. L'expression « village global » prend tout son sens dans un monde où, quel que soit le pays, quelle que soit la culture, on nous oppose depuis la naissance. Par nos origines,

nos religions, nos milieux sociaux, nos votes. De l'Europe à l'Asie, le film semble alors combler une aspiration commune, comme si le public aspirait à une réconciliation. C'est l'avis de Régine Hatchondo, devenue, par ses fonctions et ses voyages, l'observatrice d'un monde en mutation : « Je trouve qu'il s'opère aujourd'hui une radicalisation de l'écart existant entre les riches et les pauvres, c'est particulièrement net dans les pays émergents. Ce film parle à tous dans un monde devenu, partout, de plus en plus sauvage et rude. Ce n'est donc pas une surprise qu'il ait eu un tel écho. C'est une réponse au *struggle for life*. *Intouchables* rassure dans un univers devenu dur et individualiste. »

La tentation est grande d'avancer une autre analyse : le film fonctionne dans des pays où la société est particulièrement clivée et où le besoin de rassemblement s'exprime le plus fortement. Ce fut le cas en Belgique par exemple, où s'opposent Wallons et Flamands, en Suisse, où les problèmes de racisme sont latents et récurrents, et, dans une moindre mesure, en Allemagne, où le film a atteint un niveau record avec 9 millions de spectateurs (soit plus de 10 % de la population), une nation où les tensions avec les populations immigrées sont fortes. Autre pays dans lequel s'affrontent les communautés : Israël. Le film y a dépassé tous les pronostics. Dans *Actualité juive*, le journaliste Michael Blum écrit : « Ce film est une parabole du conflit israélo-palestinien. »

Mais une telle analyse laisse sur sa faim et est un peu courte pour expliquer l'engouement du public dans plus d'une vingtaine de pays. Car, comme le dit Matthieu Thibaudault d'Unifrance, « la carrière internationale d'*Intouchables* est particulièrement singulière ». Si l'impact qu'il a eu en France fut inattendu, sa trajectoire à l'étranger est elle aussi très spécifique.

Cette carrière commence doucement, et les records viendront les uns après les autres. Elle démarre par les territoires européens francophones, où le public est traditionnellement acquis aux comédies françaises, et où le film connaît un certain succès, sans toutefois enregistrer de véritables performances.

C'est l'Allemagne qui va marquer un tournant. Le film pulvérise le précédent record (détenu par *Le Gendarme et les extraterrestres* sorti en 1979 et ses 5,6 millions d'entrées) et reste 9 semaines en tête du box-office, et 65 semaines en salles ! Mais au-delà des chiffres, et comme en France, il pénètre la société germanique et touche son inconscient.

L'ALLEMAGNE, UN SUCCÈS IMPRÉVU

C'est aussi chez notre voisin germanique que les réactions furent les plus inattendues. La sortie du film prend des allures de débat national. Pendant des mois, le mot *Intouchables* est sur toutes les lèvres. C'est le sujet de conversation dont on parle au bistrot, au bureau, dans les dîners. Encore aujourd'hui, comme on le constate dans la presse, le titre du film (*Ziemlich beste Freunde*, « Presque meilleurs amis ») est passé dans les expressions de la vie courante. Au moment de la sortie, les *Ziemlich beste Freunde* sont à la une de tous les médias, y compris des journaux les plus sérieux. Et, un an après, les observateurs publient encore des articles pour commenter ses 8,9 millions d'entrées.

En Allemagne, *Intouchables* est le troisième film le plus vu de tous les temps. Il rafle plusieurs prix et récompenses. Les files d'attente devant les salles de cinéma ressemblent à celles de son parent français, mais l'ambiance est différente. L'humour n'est pas le même d'un pays à l'autre. « Dans les salles, disent Éric et Olivier, les rires paraissaient gênés. S'amuser d'un drame semblait assez nouveau dans leur culture. Nous étions inquiets des réactions du public devant la séquence où François arbore une moustache à la Hitler, mais finalement la blague est très bien passée. Il n'était visiblement pas imaginable de rire de sujets aussi tabous que l'immigration et le handicap. En France, nous avions un rire de connivence. En Allemagne, c'était un rire de défoulement. » Les analyses de la presse confirmeront d'ailleurs ce sentiment. Autre souvenir marquant, l'Allemagne est l'un des pays où Omar a eu le plus d'articles dans la presse féminine. « Beaucoup de journaux y allaient franco et insistaient sur la puissance érotique et le physique d'Omar. » En Autriche, le film sera aussi un immense succès avec 725 000 entrées, le plus grand succès français depuis les années 1990.

PARTOUT EN EUROPE, UN PUBLIC CURIEUX

« Il y a des films qui divisent le Nord et le Sud, comme *Des hommes et des dieux* qui fut plus apprécié dans les pays catholiques que protestants ; et d'autres, c'est plus rare, capables de rassembler tous les publics. » Régine Hatchondo se souvient avoir été impatiente de découvrir les impressions du public hors de France, curieuse de voir si les rires étaient les mêmes partout. Comme les réalisateurs, elle aussi attendait fébrilement, dans le fond d'une salle en Allemagne, les réactions lors de la scène de la moustache. « Mais ce qui m'a le plus étonnée, c'est que le film résiste à ce point dans un contexte de crise et de nouvelle configuration des salles. » En Europe, ce sont les Italiens qui furent les premiers à signer, alors que le film n'était même pas encore sorti en France. Cécile Gaget, responsable des ventes internationales chez Gaumont, se rappelle que le distributeur était prêt à acheter le film uniquement à la lecture du scénario, sans vraiment connaître encore les acteurs ou les réalisateurs. « C'est là que je me suis dit que ce film se vendrait grâce à son scénario, et non, comme dans la plupart des cas, par la présence de stars en haut de l'affiche. »

À Rome, l'avant-première se déroule dans un cinéma historique de la ville. Le lancement est particulier, car l'Italie est le pays de Ludovico Einaudi, le compositeur des musiques utilisées pour le film, et notamment des désormais célèbres *Fly* et *Una mattina*. Un artiste respecté et réputé en Italie. Le soir de l'avant-première, tout le monde salue celui que l'on appelle là-bas « maestro ». Sa rencontre avec *Intouchables* est vraiment le fruit du hasard. Éric et Olivier avaient beaucoup aimé la musique du film *La Leçon de piano* signée Michael Nyman. C'est grâce au service de musique Spotify qu'ils tombent un jour fortuitement sur un morceau d'Einaudi. Ils le contactent, mais trop occupé par ses concerts, il ne peut s'engager à composer pour le film. Qu'importe. Les deux réalisateurs passent l'essentiel du tournage et du montage avec les disques d'Einaudi, le casque collé aux oreilles. Une musique inspirante s'il en est. Ce n'est qu'une fois le tournage terminé qu'ils décident de le rencontrer chez lui, à Milan : ils s'entendent alors tous trois pour faire figurer des morceaux déjà existants d'Einaudi sur la bande originale du film. Célèbre en Italie, le « maestro » retrouve un regain de popularité en France où le public s'enthousiasme désormais pour ses disques et ses concerts. En Italie, *Intouchables*, titré *Quasi Amici* (« Presque amis »), atteindra les 2,5 millions de spectateurs en doublant les pronostics de départ.

En Belgique, un pays traditionnellement divisé, l'amitié réussie entre deux individus que tout oppose séduit 960 000 personnes, un chiffre considérable pour un si petit territoire. Comme en Suisse où les chiffres laissent pantois. Un drôle de phénomène s'y produit : dans un canton où l'on dénombre 20 000 habitants, le film a été vu par... 20 000 personnes ! Avec 1,5 million de spectateurs, pour à peine 8 millions de citoyens, la Suisse détient la palme des plus gros scores de spectateurs par habitant.

L'ESPAGNE, UNE PLACE À PART

L'Espagne reste chère au cœur de toute l'équipe, car elle marque en quelque sorte le début et l'apogée de la carrière du film. « Pour nous, ce pays reste lié à une grande émotion, celle que nous avons eue lors de la présentation en première mondiale au festival de San Sebastian, en septembre 2011. Nous étions impatients, très peu de gens avaient vu le film, celui-ci n'était pas encore distribué en France. À la sortie de la salle, tous les spectateurs nous attendaient dans les couloirs en applaudissant. Là, on a senti qu'il commençait à se passer quelque chose de peu commun. » Les Espagnols adorent le film, qui fera au total 2,5 millions d'entrées, un score identique à celui de l'Italie. Plus d'un an plus tard, au mois de février 2013, le film obtiendra le Goya (l'équivalent de nos César) du meilleur film européen. Après les Golden Globes en janvier, les Baftas anglais en février et la sélection manquée aux Oscars, les Goyas offraient la dernière chance d'être couronné dans l'une des grandes cérémonies internationales. Coïncidence, puisque le coup d'envoi du film avait été donné dans ce même pays.

ACCUEIL PLUS MITIGÉ EN ANGLETERRE

Le film débarque en Angleterre en septembre 2012, bien plus tard que chez ses voisins. Chez Gaumont, on sait qu'il n'y a pas trop à espérer d'un pays réputé pour son circuit de distribution complexe, et où la barrière de la langue est, comme aux États-Unis, un véritable frein. Pour Régine Hatchondo, le principal problème est que le Royaume-Uni n'est traditionnellement pas très fan du cinéma français. « Le cinéma américain y est omniprésent. Et c'est un pays, explique-t-elle, qui garde une forte tradition théâtrale. On va plus volontiers voir une pièce qu'un film. D'ailleurs, les tickets de cinéma sont parmi les plus chers au monde. » Beaucoup d'obstacles donc, avant l'arrivée d'*Intouchables*, qui restera tout de même dix-huit semaines à l'affiche. Avec 340 000 spectateurs au final, le résultat est honorable. C'est mieux que les précédents succès français comme *Potiche* ou *Les Choristes* qui ont chacun réuni 150 000 entrées. Mais c'est moins que *La Marche de l'empereur* (575 000 entrées) et *Amélie Poulain* (785 000 entrées). Un score, d'après Unifrance, un peu décevant, là où le film aurait pu réaliser le double. Pas facile de s'imposer pour les « froggies ».

Une fois l'Europe conquise, l'accueil des autres publics sera-t-il moins enthousiaste ? Les continents plus lointains restent la grande inconnue. « La surprise, explique Matthieu Thibaudault, viendra d'Asie. »

Notamment de la Corée du Sud et de Taiwan, avant que le film ne poursuive sa carrière en Amérique du Nord et du Sud, au Japon puis en Scandinavie, après un détour marquant par Israël.

ISRAËL, L'ÉMOTION À VIF

La projection se déroule à la Cinémathèque de Tel-Aviv, en présence de l'ambassadeur Christophe Bigot qui fait le discours d'ouverture, et de plusieurs réalisateurs et acteurs israéliens comme Ronit Elkabetz ou Gila Almagor, curieux de venir découvrir *Intouchables*.

Un tonnerre d'applaudissements et des centaines de regards émus aux larmes saluent la fin du film. Le directeur de la Cinémathèque, Alon Garbuz, félicite les réalisateurs pour « leur vision optimiste, qui parle à tout le monde ». Pourtant, la salle semble plus tendue qu'ailleurs. Pourquoi ? Tout simplement parce qu'en Israël, la question du handicap est un sujet sensible qui touche de nombreuses familles. Là-bas, les attentats et la guerre ont fait beaucoup de dégâts. Une grande partie de la jeunesse part à l'armée et beaucoup de soldats en reviennent estropiés. « Nous avons fait plusieurs projections dans des hôpitaux, précise Éric, c'était terriblement émouvant. »

Les films français intéressent en général peu les Israéliens. Les chances du film étaient donc limitées au score habituel des films français, soit 20 000 à 40 000 entrées. « S'il n'y a pas d'attentat, s'il n'y a pas de problème à Gaza, prédisaient les distributeurs, on ira peut-être jusqu'à 100 000. » Le film frôlera les 500 000 spectateurs, pour une population de 8 millions d'habitants.

■ Intouchables *projeté au mythique Paris Theatre au cœur de Manhattan, à l'angle de la 5ᵉ Avenue et de la 58ᵉ Rue.*

LES ÉTATS-UNIS, UN MARCHÉ À CONQUÉRIR

La presse a-t-elle eu une influence sur la carrière du film aux États-Unis ? Est-elle responsable de l'absence de récompenses, pourtant attendues, aux Golden Globes et aux Oscars ? Pour Cécile Gaget de Gaumont, l'aventure américaine porte en elle une déception. Présente pour la première du film à New York, elle se souvient du décalage entre le très bon bouche à oreille et la presse plus dubitative. Selon elle, le film reste en deçà des attentes, avec 10 millions de dollars de recettes au box-office, bien en dessous des scores réalisés par *The Artist* ou *Amélie Poulain*.

Les critiques qui ont emboîté le pas de *Variety* ont mis en lumière les différences culturelles de fond existantes entre les deux continents. Pourtant, sur les réseaux sociaux, les spectateurs américains expriment leur joie après avoir vu le film, malgré sa présentation, selon les us et coutumes américaines, en version non doublée. Au final, il réalise un score plus qu'honorable et sera le premier film non anglais aux États-Unis cette année-là.

En novembre 2012, Éric et Olivier font le voyage pour se voir remettre le Dana Reeve Hope Award, décerné en souvenir des combats menés par Christopher Reeve, le célèbre comédien qui incarna Superman et qui, suite à un accident de cheval, finit sa vie en fauteuil roulant. Sa fondation récolte aujourd'hui des fonds pour lutter contre les paralysies d'origine neurologique. À New York, Omar Sy reçoit, ému, le prix des mains de Meryl Streep. C'est la première fois qu'un film reçoit ce prix, qui récompense depuis vingt et un ans des personnes « qui se battent pour réussir malgré leur handicap ».

Aux Golden Globes, où *Intouchables* est nommé dans la catégorie meilleur film étranger, les acteurs défilent à la table d'Omar : Jessica Chastain, la sublime comédienne de *Zero Dark Thirty*, le serre dans ses bras et lui fait part de son admiration. Quelques minutes plus tard, Julia Roberts offre à Omar le plus beau « hug » de sa vie. Éric et Olivier sont fiers de voir la France aussi largement représentée cette année-là et n'en reviennent pas d'être sélectionnés aux côtés de Michael Haneke et Jacques Audiard. Eux aussi font le plein de souvenirs : Salma Hayek et Eva Longoria les arrosent de compliments sur le film qui devrait d'ailleurs connaître prochainement une adaptation américaine.

INTERVIEW DE STEVEN SPIELBERG
PAR BRUCE TOUSSAINT SUR EUROPE 1.
15 mai 2013

Bruce Toussaint: Est-ce que vous pourriez nous parler d'un film français qui vous aurait particulièrement marqué ?

Steven Spielberg: *Intouchables*. J'aime ce film. Je l'ai vu quatre fois.

B. T.: Pourquoi ce film ?

S. S.: Parce que la relation qui y est montrée entre cet handicapé et son auxiliaire de vie est probablement l'une des plus drôles et des plus authentiques qu'il m'ait été donné de voir. Ces deux fortes personnalités s'opposent *a priori*, mais ils finissent par faire équipe. J'ai trouvé que c'était une très belle histoire d'amitié masculine et un film très fort.

B. T.: Ç'a été un succès considérable en France, vous le savez. Plus de vingt millions de personnes ont vu ce film. Omar Sy fait maintenant carrière à l'international. D'ailleurs vous, auriez-vous envie de tourner avec Omar ?

S. S.: Pourquoi pas, ça dépendra du scénario, du film. Il faut dire que tous les acteurs d'*Intouchables* sont merveilleux.

Un souvenir les marque plus que les autres : celui de Steven Spielberg venant les voir pour leur dire qu'*Intouchables* a été son film préféré de l'année.

« Je viens de voir *The Intouchables*. Comment prononcez-vous le titre français, déjà ? In-tou-cha-bles. J'ai beaucoup aimé. C'est une histoire originale et les deux acteurs sont très bons. C'est émouvant et drôle avec un côté politiquement incorrect qui m'a plu. »

Plus au sud, le film connaît aussi un succès très appréciable : au Mexique, au Brésil, au Venezuela, au Pérou, au Chili, en Colombie. Au Mexique, où en général seuls les dessins animés et les thrillers séduisent le public, il obtient le record de fréquentation pour un film en langue française. Au Brésil, il est le premier film en français à avoir dépassé le million d'entrées.

■ Éric Toledano, Olivier Nakache et François Cluzet aux Golden Globes, derrière l'actrice américaine Helen Hunt.

■ Interview de Clint Eastwood pour le Figaro Magazine. Novembre 2012

Avec Amy Adams, qui interprète sa fille dans « Une nouvelle chance », son 77ᵉ rôle au cinéma.

... Vos deux filles cadettes, Francesca, 19 ans, et Morgan, 15 ans, y participent, elles... Quelles sont vos aspirations pour elles en tant que père ?

J'aimerais qu'elles trouvent leur voie, apprennent un métier et fassent quelque chose d'utile dans la vie. Qu'elles ne se contentent pas d'être comme Paris Hilton à ne pas faire grand-chose, sauf la fête.

Vous discutez cinéma avec elles ? S'intéressent-elles à votre carrière, à vos films ?

Je suppose que, dans une certaine mesure, elles en apprécient quelques-unes. Elles ont leur propre cercle social et un réseau d'activités bien à elles et c'est surtout ça qui les préoccupe !

Etes-vous choqué par l'obsession du culte de la célébrité qui sévit aujourd'hui ?

Le monde dans lequel nous vivons est peuplé de gens dont la seule profession est d'être célèbre (on se demande bien pourquoi puisque apparemment ils ne sont pas acteurs ni chanteurs et ne possèdent pas le moindre talent artistique). Je m'en fiche. Libre à chacun de trouver ça divertissant.

Regardez-vous beaucoup de films en DVD ?

Pas tellement. Je préfère aller en salle et voir un film avec le public. Je n'ai pas vu grand-chose ces mois derniers par manque de temps. Mais je

"J'aime le côté politiquement incorrect d'Intouchables"

viens de voir *The Intouchables*. Comment prononcez-vous le titre français, déjà ?

Intouchables.

(Répétant en articulant chaque syllabe.) In-tou-cha-bles. C'est cela. J'ai beaucoup aimé. C'est une histoire originale et les deux acteurs sont très bons. C'est émouvant et drôle avec un côté politiquement incorrect qui m'a plu. J'aurais aussi bien voulu regarder *Les Bêtes du sud sauvage* jusqu'au bout mais la caméra qui bouge tout le temps m'a donné le tournis au point de me sentir nauséeux. Mais, il y a des séquences magnifiques et la jeune actrice, Quvenzhané Wallis, est sensationnelle.

Avez-vous vu The Artist ?

Oui, il m'a beaucoup plu aussi. J'ai même voté pour lui aux Oscars. J'aime beaucoup la manière dont on a revisité une histoire classique hollywoodienne, un peu à la manière d'*Une étoile est née*. J'imaginais la conversation du réalisateur en train d'essayer de convaincre un producteur de financer un film muet en noir et blanc ! Ça n'a pas dû être évident. Je me disais que rien ne que ça serait une bonne idée de scénario !

Si vous aviez le pouvoir de changer quelque chose en politique, ce serait quoi ?

Pour commencer, lutter contre le climat négatif et l'incivilité galopante qui enveniment la société. Je déplore aussi cette tendance généralisée des politiciens à s'accrocher coûte que coûte à leurs positions pour assouvir une ambition aveugle à long terme qui n'a, bien trop souvent, rien à voir avec leurs performances à leurs postes ni qui a bien pu être accompli au service de la population ou dans l'intérêt du pays, du monde ou de l'humanité. A mon avis, il serait temps de mettre en place un programme d'austérité et ne plus dépenser n'importe comment. De trouver aussi un moyen d'inciter les gens très fortunés à donner au pays en stipulant que leur argent servirait exclusivement à rembourser la dette et rien d'autre. Je suis certain qu'on trouverait de nombreux contributeurs, un Warren Buffett par exemple. Moi, je serais partant. Mais ce qui manque, c'est une bonne raison, un moyen d'inspirer davantage d'actes philanthropiques sans que ce soit forcé. Dommage, car on a besoin de plus de philanthropie dans le monde.

Qu'est-ce qui vous a déçu dans le premier mandat du président Obama ?

Sans être un supporter, je m'étais réjoui de son arrivée à la Maison-Blanche comme symbole d'un nouvel espoir. Je pensais vraiment qu'on verrait une baisse sensible de la discrimination raciale, reflétant le changement d'une Amérique de plus en plus multiraciale. Or il semble que ce soit l'inverse. Les choses ont empiré et cela me gêne.

Avez-vous eu l'occasion de le rencontrer ?

Non. Il m'a décerné la Médaille nationale des arts, mais je n'ai pas pu me rendre à la cérémonie en février 2010. Je crois que le dernier président en exercice que j'ai rencontré a été Clinton ou Bush. L'un des deux...

Pourquoi avoir soutenu aussi ouvertement Mitt Romney, qui a fini par être battu à l'élection présidentielle ?

C'est un homme bien et un excellent businessman qui a fait ses preuves dans le domaine des affaires. J'estimais qu'il était grand temps que le pays soit dirigé comme une entreprise. Un business géré efficacement ne perd pas d'argent. Et c'est à mon sens ce dont on avait besoin alors qu'on est au bord d'un tel précipice financier, avec un endettement faramineux quasiment impossible à résorber si on continue ainsi. On m'a toujours appris à ne pas dépenser plus que ce que j'avais en poche.

Un sondage d'Esquire paru l'an dernier vous avait élu l'Américain le plus cool avec 26 %, contre seulement 7 % à Justin Timberlake, votre partenaire dans Une nouvelle chance...

(D'un ton facétieux.) Je me demande qui fait ce genre de sondage. Ils se sont probablement contentés d'interroger trois secrétaires et le gardien de ma société de production !

Vous pratiquez la méditation transcendantale...

Depuis 1971, en effet. Au quotidien. Je ne me qualifierais pas d'expert, mais c'est pour moi un moyen intéressant de relaxation mentale qui aide à clarifier l'esprit, à se revitaliser et à enrayer les effets du stress quotidien causé par la nature de plus en plus chaotique de notre société. Peut-être qu'après tout ce n'est pas plus efficace qu'une sieste comme on la pratique en Espagne et dans certains pays ! Mais j'y crois, et ça m'a plutôt réussi.

Si vous aviez à écrire votre autobiographie, quelles en seraient les premières lignes ?

(Après une pause, puis en riant.) Quelque chose dans le genre : « *Je m'appelle Clint. La chevauchée a été merveilleuse et j'ai eu une excellente monture...* »

■ PROPOS RECUEILLIS PAR **JEAN-PAUL CHAILLET**
Une nouvelle chance, de Robert Lorenz, avec Clint Eastwood, Amy Adams et Justin Timberlake (en salles le 21 novembre).

LE JAPON, UN PUBLIC ENTHOUSIASTE ET FRANCOPHILE

« Nous ne voulons pas de films avec des Noirs ou avec des handicapés » : voilà le discours, à peine caricatural, que le distributeur, Vincent Maraval, a toujours entendu au Japon. Il fut donc le premier étonné du succès d'*Intouchables* auprès des Japonais, admettant que les scores du film sur l'archipel sont pour lui un exploit, face à un public dont il est difficile de cerner les goûts. Les Japonais sont

en effet très sourcilleux sur les films étrangers qu'ils achètent : peu de comédies, et paraît-il, peu d'histoires abordant le thème de l'immigration. « Un sujet qui ne les touche pas », confirme Cécile Gaget. « Les Japonais ont beau aimer la France, poursuit-elle, adorer Sophie Marceau et Audrey Tautou, summum de l'élégance à la française, ils nous répondent souvent que les histoires de banlieue ne les intéressent pas. » Sincérité ou manière polie de dissimuler un racisme qui ne dit pas son nom ? Conscient de ce handicap de départ, Gaumont a souhaité que le film participe au Festival de Tokyo, comme un test avant même que les acheteurs nippons ne se manifestent.

Dans la salle, les réactions furent immédiates et unanimes, se souvient Cécile Gaget. « Je me disais que si ça marchait à Tokyo, ce serait gagné pour la suite. » Le film remporte le Grand Prix du Festival de Tokyo, le jeu des acteurs est acclamé et, dans la foulée, une sortie est prévue dans les cinémas japonais. Pour Éric et Olivier, le Japon restera le voyage le plus exotique. Et le plus fort en émotions.

Bien sûr, il y a le dépaysement. Mais le pays a mis les bouchées doubles pour recevoir l'équipe. Les Japonais, francophiles, associent notre cinéma hexagonal à un certain raffinement. À Tokyo, le distributeur se réjouit à l'avance de recevoir une équipe française. Chaperonnés par Unifrance, les deux réalisateurs restent une semaine sur place. L'occasion de découvrir d'autres coutumes dans le milieu du cinéma. « Dès notre arrivée, raconte Olivier, nous étions surpris de voir l'intégralité de l'équipe de distribution à la sortie de l'avion. Huit personnes étaient présentes pour nous accueillir. Tout le staff semblait nous attendre au garde-à-vous et nous observait en train de passer la douane et récupérer nos bagages. » Un mélange de respect et d'exigence. Autre habitude à laquelle il faut se conformer : le travail « à la japonaise ». Pas un moment de répit dans la journée. Du matin au soir, les réalisateurs donnent des interviews sans interruption, de 9 à 20 heures d'affilée.

Le planning est chargé et il est impossible d'y déroger. « D'autant plus fatigant, ajoute Éric, qu'il était difficile de plaisanter avec les journalistes. » Rien à faire, le second degré passe moyennement. « Plus que partout ailleurs, les mêmes questions, les mêmes interviews s'enchaînaient dans un très grand sérieux. Le Japon

est l'endroit où l'on s'est le plus senti "ailleurs". Et notre curiosité quant aux réactions du public japonais était aussi grande. »

Pour Régine Hatchondo, le Japon reste un territoire difficile : « Finalement peu de films français trouvent grâce à leurs yeux. » Et surtout, « la crise a été fatale aux quelques salles d'art et essai qui diffusaient régulièrement nos films ». Mais, alors que l'accueil était incertain, l'exploitation japonaise démarre sur les chapeaux de roues et totalise 1,3 million d'entrées, soit le 5ᵉ plus grand succès français. D'ailleurs, les deux réalisateurs recevront quelques mois plus tard l'équivalent du César du meilleur film étranger au Japon.

UN TOUR DU MONDE CONTRASTÉ

La Corée du Sud est aussi un pays qui vaut la peine qu'on s'y attarde. La situation y est paradoxale : d'une part, les Coréens sont très cinéphiles et amateurs du cinéma français qu'ils trouvent « raffiné et intello ». D'autre part, ils sont très attachés à leur cinéma d'auteur coréen présent dans de nombreuses salles. C'est l'un des rares pays au monde qui a su préserver, face aux mastodontes américains, une cinématographie nationale, que l'on retrouve d'ailleurs souvent dans les grands festivals. Comme en France, et grâce à un système d'aides similaires, la Corée a réussi à maintenir sa propre part de marché. Pas évident, dans un tel contexte, de se frayer un chemin pour une comédie française et de s'imposer dans leurs salles. D'autant plus que les Coréens n'ont pas sollicité la présence des acteurs ou des réalisateurs pour la promotion sur place et ont préféré assurer seuls le lancement du film. À la surprise générale, *Intouchables* reste plusieurs semaines en tête du box-office et finit par rassembler 1,7 million de spectateurs, un chiffre « colossal » selon Unifrance.

■ *Projet d'affiche russe refusé.*

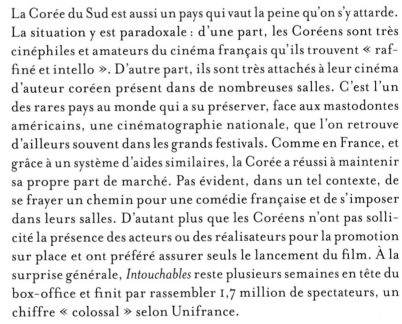

Seule l'Indonésie refusera jusqu'au bout de diffuser le film, suite à un malentendu après la publication d'un dessin humoristique dans *Charlie Hebdo*.

La Russie, quant à elle, restera sur ses gardes, contrairement aux autres pays d'Europe de l'Est. C'est l'unique pays où *Intouchables* n'a pas marché. « Les distributeurs ont toujours été réticents », raconte Cécile Gaget. S'agit-il d'un racisme anti-Noir ou d'une

absence totale d'intérêt pour tout ce qui a trait à la banlieue ? « Ces sujets ne nous intéressent pas », m'a-t-on toujours répondu. La Russie de Poutine est passée volontairement à côté du film. Pas assez « russe » comme thème ? Trop éloigné de la recherche de « l'homme parfait » ? *Amélie Poulain* non plus n'avait pas marché là-bas. Et l'affiche russe fut celle qui, de l'avis de tous, a été totalement ratée et vulgaire, comme si décidément ce pays avait souhaité ignorer le propos du film.

En Australie, *Intouchables* reste huit semaines au top 10 du box-office local, comme en Nouvelle-Zélande. Il s'impose aussi en Croatie, en Pologne, au Québec et il termine au nord par la Suède, le Danemark et la Norvège qui lui réservent un accueil sans pareil. Alors que ces pays sont d'habitude plutôt amateurs de « cinéma pointu », on assiste à des records de fréquentation, tout comme en Finlande.

Au final, le film aura fait le tour du monde, ou presque. Cette tournée internationale aura duré plus d'un an, de l'Europe à l'Asie en passant par les deux Amériques, et en achevant sa course par la Scandinavie et l'Océanie. Une épopée qui, à sa manière, dit quelque chose sur cette partie du monde.

*« Je ne suis pas étonné qu'*Intouchables *ait pu parler à tant de populations différentes. Il offre des réponses positives aux problèmes du monde d'aujourd'hui. »* Alexandre Adler

Pour clore cette enquête sur le succès international d'*Intouchables*, j'ai eu envie d'interroger un spécialiste des questions de géopolitique, un homme habitué à voyager et à confronter la situation de la France à celle des pays étrangers. Cela tombait bien, il avait vu le film, et ne paraissait pas étonné de son écho à travers le monde. Alexandre Adler est historien de formation, un spécialiste des relations internationales que l'on entend régulièrement sur les ondes et à la télévision. Sa première remarque fut de comparer

Intouchables à d'autres films français : « Voilà un film qui n'est pas geignard. Il existe des films qui jouent sur la culpabilité ; des réalisateurs, comme Kassovitz, nous montrent que la violence est inévitable et fatidique. Il y a d'autres films qui exaltent des formes de luttes parfois un peu exagérées. Celui-ci a l'avantage de présenter des solutions abordables, humaines. Dans un contexte de mondialisation, c'est un discours d'ouverture que les gens ont envie d'entendre. » Pour Adler, *Intouchables* traverse les frontières car c'est un film sur l'exclusion, mais qui n'est jamais plaintif. Pas un pays au monde aujourd'hui ne peut ignorer le problème des peuples méprisés et ignorés. Le sujet est partagé au-delà des différences culturelles. « Mais, dit-il, ce qui a dû plaire, c'est que le sujet est abordé de manière positive. On voit comment les choses peuvent se résoudre. »

Nous passons ensuite en revue quelques pays qu'Alexandre Adler connaît bien. Il évoque l'Amérique latine et son mélange d'attirance et de méfiance vis-à-vis des États-Unis : « Le public a pu y voir ses propres espoirs d'immigration, en rêvant que la société américaine s'ouvre un jour comme le font les personnages du film. Je peux tout à fait comprendre que le film ait à ce point fonctionné dans les pays d'Amérique du Sud, car on leur renvoie souvent une image terrible de l'immigré. »

Adler parle aussi du Japon, un pays qui, d'après lui, a souvent eu une attitude qu'on peut résumer par « nous et le reste du monde ». « Mais aujourd'hui, face au vieillissement de leur population et à l'évolution des mentalités, ce comportement est en train de changer. Le film est arrivé au bon moment, sans les culpabiliser, ce qu'ils détestent, mais en leur montrant avec humour que l'immigration peut avoir du bon. »

Quand on évoque le cas de la Corée, Adler se souvient qu'il s'agit d'un pays où ont persisté longtemps les préjugés contre les Japonais et les Chinois. « Mais là encore, les mentalités changent et les Coréens comprennent que leur société doit bouger, s'ouvrir. »

« Je ne suis pas étonné qu'*Intouchables* ait pu parler à tant de populations différentes, dit-il pour conclure. Il offre des réponses positives aux problèmes du monde d'aujourd'hui. La tragédie y est conjurée et dénoncée, mais avec une humanité qui nous unit. »

UNE FIN DE TOURNÉE BOULEVERSANTE : SARAJEVO

Pour Éric et Olivier, le tour du monde promotionnel se termine en juillet 2012 à Sarajevo. Un périple qui se conclut, comme à San Sebastian où il avait commencé, par un shoot d'adrénaline et des émotions particulièrement intenses. Le festival du film de Sarajevo a été créé en 1995 en pleine guerre civile, alors que la ville était assiégée. À l'époque, tout le matériel nécessaire pour diffuser les films était acheminé de l'aéroport vers un petit théâtre situé dans la ville par l'intermédiaire de tunnels creusés sous la terre. Alors même que la guerre ravageait les infrastructures urbaines, l'art, et notamment le cinéma, persistaient. Un homme a été à l'origine de cet exploit : Mirsad Purivatra, qu'Éric et Olivier retrouvent près de dix ans plus tard, cette fois-ci dans un pays en paix et devant plus de trois mille personnes. « C'est sans doute la projection la plus émouvante à ce jour. Trois mille personnes réunies à Sarajevo, en plein air. En y repensant, nous en avons encore des frissons. » Pour leur dernière projection d'*Intouchables* en public, Éric et Olivier se sont retrouvés devant une foule gigantesque, dans un lieu chargé d'histoire et face à un public tout aussi ému qu'eux. La boucle était bouclée.

APRÈS *INTOUCHABLES*, L'IMPACT DU FILM

C'est en lisant l'interview donnée au *Figaro* par le philosophe Alexandre Jollien à propos du film que les réalisateurs ont reçu une de leurs plus belles récompenses. Le philosophe, lui-même handicapé, y

Alexandre Jollien : « "Intouchables" souligne que la fragilité peut être l'occasion d'un partage »

INTERVIEW
Le philosophe*, par ailleurs handicapé, réagit au succès du film *Intouchables*, qui dépeint une amitié entre un accidenté de parapente et son aide-soignant.

PROPOS RECUEILLIS PAR
MARIE-LAETITIA BONAVITA

GALLERON LORENZO/OPALE

LE FIGARO. – Comment avez-vous trouvé le film *Intouchables* ?
Alexandre JOLLIEN. – Le film *Intouchables* m'a ému aux larmes si bien que je me suis surpris à aller le revoir le lendemain. La justesse du propos, l'humour qui s'en dégage m'ont conquis. C'est surtout un éloge de la liberté que j'ai trouvé. Une invitation à être totalement soi-même au-delà des rôles sociaux et à quitter tout vernis.

La scène du recrutement d'aides-soignants potentiels fait sourire par la maladresse des motivations avancées. Entre pitié et indifférence, quel vaut-il mieux ?
Cette scène est proprement géniale car elle montre la vérité du personnage. Cette vérité est certes maladroite, mais bien mieux que la posture de celui qui croit maîtriser la situation et se coupe donc du naturel. Face à l'indifférence, il y a peut-être la simplicité, parfois maladroite, mais toujours vraie.

Comment expliquer, au-delà de la rencontre entre un aristocrate et un jeune de banlieue, l'amitié qui se noue entre un tétraplégique et son aide-soignant ?
Peut-être que, lorsque nous touchons à notre humanité, lorsque nous nous enracinons dans notre faiblesse et nos blessures, nous devenons plus proches de l'autre, plus à l'écoute. Et cette amitié dépeinte dans le film est vraiment un appel à se lancer dans la rencontre le plus dépouillé possible avec toutes nos fragilités et nos ressources.

L'humour est très présent dans le film. Peut-on rire du handicap ?
Je suis allé voir le film en reculant tant j'avais peur d'un humour grinçant ou d'un humour au second voire au troisième degré. L'humour que j'ai trouvé m'a ému tant il est vrai. Tout au long du film, je m'attendais à une fausse note, un dérapage. L'humour qui s'y déploie est un instrument de vie à appliquer au quotidien dans la vie bien réelle.

Vous avez dit : « Être joyeux est un acte de volonté ». Comment cultiver cette joie ?
Cultiver la joie, c'est plonger au fond du fond, rejoindre tout ce qui est déjà mais précisément caché par nos masques et nos rôles. Cultiver la joie, c'est aussi, comme dans le film, aller vers l'autre sans préjugé et s'offrir totalement à la vie.

Pensez-vous que ce film contribuera à changer le regard de la société sur le handicap ?
Il est vrai que le film contribue, de par son succès, à changer un peu le regard que l'on porte sur la personne handicapée. Et je pense que ce film devrait être projeté dans des classes car il fait à la fois œuvre utile et dans le même temps, il contribue à convertir le regard. Je me réjouis que ce message si profond passe par un humour qui est bienveillant et je souhaite que ce film donne des idées à tous ceux qui veulent promouvoir la liberté et nuire aux préjugés qui sont, il faut l'avouer, bien tenaces.

> Peut-être que, lorsque nous nous enracinons dans notre faiblesse et nos blessures, nous devenons plus proches de l'autre, plus à l'écoute

Dans le film, le tétraplégique a les moyens de solliciter une aide, qu'en est-il pour une personne handicapée qui ne bénéficie pas de telles ressources ?
D'où l'intérêt de sensibiliser les écoliers à la solidarité et à la richesse d'une vraie rencontre. Des amitiés comme celle dépeinte dans le film pourraient être naturelles, évidentes. Aussi, les médias pourraient contribuer à montrer la réalité des êtres différents en toute simplicité. Je suis frappé lorsque j'amène mes enfants à l'école de réaliser que je suis le seul handicapé dans la cour. Cela m'a longtemps déconcerté et m'a donné le sentiment d'être un étranger. Pourtant les enfants sont l'avenir de l'homme et une éducation faite en toute simplicité pourrait redonner à la personne handicapée sa juste place, c'est-à-dire ni un roi à privilégier ni un banni à exclure.

La société, selon vous, doit-elle faire des efforts pour mieux aborder cette fragilité de l'homme ?
Notre société met de plus en plus de monde sur la touche et non seulement les personnes handicapées. Il y a de plus en plus de gens qui souffrent d'anxiété, de stress et d'isolement. Et la tentation est grande de pointer du doigt la personne qui dégringole dans notre société. On pourrait s'interroger sur les facteurs qui mettent les gens dans ces conditions. Un seul exemple, les moyens de communication sont des outils essentiels mais plutôt au service de l'autre et en particulier du plus faible. Le rencontrer, c'est peut-être rejoindre ce qu'il y a de plus beau en nous. Il est magnifique de constater que la fragilité n'est pas toujours à fuir mais qu'elle peut devenir l'occasion d'un partage.

Quelle est, à vos yeux, la philosophie qui se dégage du film ?
C'est avant tout un éloge de la rencontre et une invitation à mettre toute son audace et non pas à la réalisation d'intérêts égoïstes, individualistes mais plutôt au service de l'autre et en particulier du plus faible. Le rencontrer, c'est peut-être rejoindre ce qu'il y a de plus beau en nous. Il est magnifique de constater que la fragilité n'est pas toujours à fuir mais qu'elle peut devenir l'occasion d'un partage.

*Auteur d'« Éloge de la faiblesse »,
Éditions Marabout.*

■ L'article du philosophe Alexandre Jollien : « C'est l'article qui a commencé à nous rassurer. Celui de la réaction des handicapés. Cette interview a eu beaucoup d'importance pour nous. » Le Figaro, 22 novembre 2011.

reconnaissait la justesse et la subtilité du film et des relations mises en scène. « D'un coup, nous avons eu le sentiment que notre film avait du sens. Savoir d'où l'on vient, pourquoi on fait les choses, cela nous obsède depuis toujours. Quel sens met-on dans ses actes et ses décisions. *Intouchables* vient du plus profond de notre jeunesse. » En cela, la rencontre avec Pozzo di Borgo fut décisive pour les deux auteurs : cet homme qui, malgré sa situation, préfère voir les bons côtés de l'existence. « C'est un choix philosophique, c'est définitivement une pensée qui nous intéresse. »

« Intouchables » a modifié le regard sur le handicap

Un sondage Ifop montre que le film à succès a été plus efficace sur l'opinion que les campagnes de sensibilisation.

DELPHINE DE MALLEVOÜE

SOCIAL Le regard de la population sur le handicap aurait changé depuis trois ans. Pas tant en raison des campagnes de sensibilisation ou des effets de la loi de 2005 que grâce au film *Intouchables*. C'est ce que révèle un étonnant sondage Ifop mené auprès de salariés et de chefs d'entreprise pour l'Association de gestion du fonds pour l'insertion professionnelle des personnes handicapées (Agefiph).

Réalisé pour les 25 ans de cet organisme, et alors que s'annonce la semaine pour l'emploi des personnes handicapées du 12 au 16 novembre, le sondage montre que les employés désignent un film à succès comme le principal facteur (34 %) ayant contribué à faire évoluer leur regard. Au même titre que la rencontre avec une personne handicapée dans la vie personnelle, pour 34 % des sondés. Autre événement

cité comme déterminant : les jeux paralympiques de Londres (28 %), devant les campagnes de communication sur le handicap (26 %), l'expérience personnelle d'un accident ou d'une immobilisation (25 %) ou l'effort fait par les entreprises pour l'intégration des personnes handicapées (23 %).

L'évolution de ce regard se traduit concrètement dans les chiffres de l'emploi des handicapés qui « a considérablement augmenté », atteste Odile Menneteau, présidente de l'Agefiph. Depuis 2005, « le nombre de salariés handicapés dans les entreprises a connu une hausse de 50 % », souligne-t-elle.

340 000 handicapés au chômage

Un progrès qui n'éclipse pourtant pas le taux de chômage croissant de cette population. En 2012, 7,5 % des demandeurs d'emploi sont handicapés, soit 340 000 personnes, alors qu'ils étaient 6,4 % en 2011. « Le contexte de crise économique en

est principalement la cause mais aussi le nombre croissant de personnes qui déclarent un handicap », explique Odile Menneteau.

Aujourd'hui, seules deux entreprises sur dix ne remplissent pas leur obligation d'emploi de personnes handicapées (toute entreprise de plus de 20 salariés doit en employer 6 %). Elles sont 1 500 en France à être pénalisées à hauteur de « 1 500 fois le smic par bénéficiaire non employé », explique l'Agefiph, soit une « surcontribution » de 22 millions d'euros par an. ■

■ Le Figaro, 8 novembre 2012.

20 מיליון צרפתים לא טועים

סרטץ

CULTURA

FOOTBALL

metro

100 ans et toujours jeunes !

30 Millones DE EUROPEOS CONOCEN YA ESTA HISTORIA

DIE ZEIT

WOCHENZEITUNG FÜR POLITIK WIRTSCHAFT WISSEN UND KULTUR

Der Wert der Freundschaft

28 Kino

B.Z heute wieder mit dem aktuellen Kino-Magazin

Hmmmm, tut das gut!

Freundschaft

TICKET

LIEBE DEINEN NÄCHSTEN

TANCREDI

LE PHÉNOMÈNE *INTOUCHABLES* À MONTRÉAL

Les Nouvelles Casernes avant l'îlot des Palais

CIRQUE

Un petit bijou

PEOPLE ARE TALKING ABOUT

EDITOR VALERIE STEIKER

ENTRE NOUS

OMAR SY AND FRANÇOIS CLUZET STAR IN *THE INTOUCHABLES*, THE IRREPRESSIBLE BUDDY FILM THAT'S TAKEN FRANCE BY STORM

ÉDITION FRANÇAISE JERUSALEM POST

Quand le cinema français TOURNE en boucle en Israël

le 19 janvier 2012

Chers Olivier Nakache, Eric Toledano, François Cluzet et Omar Sy !

Je m'appelle Claire ⬛⬛⬛ j'ai 18ans. Je suis Infirme Moteur Cérébrale car je suis née prématurément, à 6 mois. Je suis en fauteuil depuis toujours.

Je vous écris cette « lettre groupée » pour vous dire à quel point j'ai aimé Intouchables, c'est la 1ere fois que j'écris à des réalisateurs ou des acteurs pour parler d'un film, mais c'est aussi la première fois que me sens autant touchée et proche d'un film. A tel point que j'ai vu deux fois Intouchables (la semaine de sa sortie, et au mois de décembre). Depuis je me sens aussi presque Intouchable! Ce film est tout simplement magnifique, il m'a beaucoup touché car il est VRAI, je me suis retrouvée dans cette histoire, alors après avoir longtemps hésité j'ai écris un mail à Philippe Pozzo di Borgo pour lui expliquer tout ce que j'ai ressenti et je lui ai demandé une adresse pour joindre les réalisateurs. Il a directement copié mon message à votre production et ⬛⬛⬛ m'a donné cette adresse ! L'occasion était trop belle, maintenant que j'étais lancée et réconfortée par des réponses aussi rapides et positives, pourquoi ne pas adresser en même temps cette lettre aux deux plus grands acteurs de cette année !

Je tiens à vous remercier pour le message que ce film transmet, Merci car il permet pour une fois de montrer les personnes handicapées d'une autre manière, sans s'apitoyer, oui nous sommes des personnes comme les autres, nous pouvons être heureux et aussi avoir de l'humour! Il change le regard sur les personnes handicapées (maintenant quand les gens me voient ils me demandent si j'ai vu Intouchables! Ensuite ils font les blagues du film, comprennent que j'ai accepté mon handicap et donc ils rigolent avec moi).
Voilà enfin des personnes qui osent traiter ce sujet avec humour! C'est (en partie) ça qui fait d'Intouchables un excellent film. C'est tellement agréable de briser tous les clichés, de ne pas utiliser la pitié ou la compassion. Et qu'est ce qu'on rit ! J'ai trouvé des blagues que l'on ne m'a jamais faites. Moi aussi j'adore rigoler de mon handicap autant dire qu'avec ce film j'ai été servi! J'en ai d'ailleurs très vite adoptées beaucoup ! Si je devais en choisir une se serait celle de la photo : « Elle est bien celle là on voit pas trop le fauteuil, à la fois on se doute qu'il y a un problème » !!!! J'en pleurais encore de rire au moins 10 min après, même la 2eme fois ! Et maintenant quand je regarde une photo où on voit une seule poignée du fauteuil je ne peux pas m'empêcher de rire ! Quant à la Kangoo, je suis en conduite accompagnée et on recherche une voiture adaptée pour mon autonomie et donc je risque d'être « chargée comme un cheval » ! Là aussi, énorme fou rire partagé avec ma maman !

...

■ Parmi les nombreuses lettres qu'ils ont reçues, une a particulièrement attiré l'attention des réalisateurs et des producteurs. Celle de Claire, 18 ans.

Mais là où Messieurs les réalisateurs vous avez fait un travail exceptionnel, c'est qu'il n'y a pas seulement de l'humour, mais aussi de l'émotion par l'histoire entre Philippe et Abdel. La deuxième fois que j'y suis allée, une amie m'accompagnait (elle a été mon Auxiliaire de Vie Scolaire au collège) elle s'est retournée vers moi à la fin, en larmes, en me disant : « C'est tout simplement magnifique... ». C'est le mot, MAGNIFIQUE, TOUT : L'histoire, les acteurs, les blagues, la musique! (Je l'écoute en boucle !) En plus les scènes sont plus que réalistes, j'en ai d'ailleurs aussi vécues certaines : un ami qui vous laisse tout seul quelque part (ou face à quelqu'un !) parce qu'il sait que vous ne pourrez pas aller bien loin par exemple ! Mais surtout le parapente ! J'ai eu l'occasion de voler en parapente en fauteuil une fois, grâce à mon tonton qui est un passionné (lui aussi a eu un accident dont il est par chance sorti indemne) et au mois de Juin j'ai aussi eu la chance de faire mon baptême de saut en parachute tandem et j'ai adoré ça, je n'ai qu'une envie : recommencer ! Alors en regardant le film, je me suis tout simplement envolée en même temps!

Ce qui rend ce film si réel, c'est bien sûr l'histoire vraie, mais aussi votre incroyable jeu d'acteur, Omar et François, il est si impressionnant qu'on oublie que c'est un film ! Omar vous semblez si naturel, j'ai entendu plusieurs fois dire que ce rôle était fait pour vous, et je suis d'accord ! François, vous réussissez à nous faire passer tant d'émotions sans bouger ! Vous êtes tous de grands acteurs et réalisateurs vous méritez amplement tout ce succès !

Il n'y a que 3 choses où j'ai été déçue :
- J'aurais beaucoup aimé vous rencontrer mais il n'y avait pas d'avant première de programmé où j'habite ·   ` !
_ Il y a deux éditions de la BO, et je n'ai que la première, sans Earth Wine and Fire !!!
_ Et enfin pourquoi nous faire attendre si longtemps pour un si bon DVD !!!

Bien sûr, je rigole mais il fallait bien que je trouve des défauts sinon je n'aurais pas été très objective, ce qui n'est pas tout à fait faux !

Après tout ces bavardages je vais malheureusement être obligé de m'arrêter un jour !
Merci d'avoir pris le temps de lire cette lettre, je vais terminer de la même façon que pour Philippe Pozzo di Borgo, ce n'est pas très original mais je le pense vraiment.
Merci pour ce grand moment de cinéma, ce film mérite et doit dépasser les plus grands!

                                        Claire

Un film comme un signal d'alarme

Gilles Lipovetsky est un sociologue réputé pour ses prises de position radicales sur notre société d'hyperconsommation.

Ses réflexions sur la montée de l'individualisme font généralement mouche. Je l'avais invité un jour dans une émission de radio et il avait suscité un emballement sans pareil chez les auditeurs qui avaient pris d'assaut le standard téléphonique en l'entendant. Il semblait partant pour parler d'*Intouchables*.

Premier constat : pour lui *Intouchables* est une bouffée d'air frais dans une France frileuse et pessimiste. Un film joyeux dans un pays déprimé. « C'est un film réjouissant et rafraîchissant. Tout ce qui s'oppose d'habitude se trouve ici valorisé. L'immigration devient positive. Le handicap n'est plus un frein à l'amour. Si le film a autant séduit, c'est qu'il démontre que tout n'est jamais joué, que l'on peut trouver le bonheur y compris dans l'adversité. Il est possible de retrouver le goût de la vie, et pourquoi pas le grand amour, même dans une situation de très grande difficulté. » Ce film est comparable à ceux qui furent diffusés à l'époque de la Grande Dépression aux États-Unis : « Une période noire où tous les films étaient joyeux. L'âge d'or de la comédie musicale correspond aux années les plus sombres de l'économie américaine. Les mélodies de Gershwin, *Le Chanteur de jazz*, *Show Boat*, tous ces films ont accompagné la crise de 1929. »

Dans les moments difficiles, ajoute-t-il, il n'est pas rare qu'un roman ou un film joue un rôle de catalyseur. Aujourd'hui, avec la précarité, les désunions, les familles monoparentales, nombreux sont ceux qui ont du mal à joindre les deux bouts. L'image d'un bonheur privé envisageable « malgré tout » rassure.

Le film peut aussi être vu comme un pansement pour nos blessures idéologiques. « L'Europe va mal, c'est un fait, explique le sociologue. Les idéologies ont disparu. Les utopies se font rares. Et voici qu'on nous montre un monde où l'avenir semble radieux, les difficultés ne sont pas insurmontables. Avec cette histoire, on peut combler les utopies qui nous font défaut par une forme de conscience collective. *Intouchables* ne porte pas un projet de société, encore moins un projet politique. Il n'y a ni appel à la révolution, ni subversion, mais aspiration à des liens plus chaleureux, à de nouvelles relations entre les personnes. » Face à un monde froid et égoïste, le film nous rappelle que le bonheur ne dépend pas forcément de la situation matérielle. Il donne une vision de ce que les philosophes nomment « la vie bonne ». On se tourne désormais vers des aspirations plus personnelles, la dimension privée devient capitale, et on aspire à une société plus humaine. Pas de changement social en vue ? Intéressons-nous alors à la relation à autrui. Plus de modèle politique crédible ? Place à la société réconciliée.

« *Intouchables* offre une vision moins pessimiste de nos sociétés modernes. Dans notre monde occidental, on prône volontiers la méfiance, l'individualisme triomphant, le chacun pour soi. La génération Facebook cultive parfois

le "après moi le déluge", peu importe ce qui se dit et sur qui. Le film montre que d'autres relations peuvent exister entre les individus. Ce qui a frappé, c'est cette vision différente, cette approche non égoïste et optimiste des rapports entre les êtres.

«Ce qui est intéressant, poursuit le sociologue, c'est que *Intouchables* parle de nos sociétés d'aujourd'hui, de leurs désillusions et de leurs aspirations, bien au-delà de nos frontières. Du Japon à l'Espagne, en passant par l'Allemagne et la Corée du Sud, les citoyens ont bien conscience que, malgré toutes les incantations, il est difficile d'échapper au capitalisme ou au modèle politique actuel plus ou moins libéral. Difficile aussi de croire qu'il existe un remède miracle à cette crise qui touche de très nombreux pays. Voilà le contexte social et politique commun dans lequel évoluent les spectateurs qui font tous le deuil des idéologies perdues. Le film fonctionne alors comme un signal d'alarme. Son succès nous alerte sur un malaise: l'absence d'espérance, le bonheur blessé, la prise de conscience que la crise va durer. Face à un monde économique et politique qui se fissure de toutes parts, on préfère placer davantage d'espoir dans les relations interpersonnelles. »

Ce succès quasiment mondial, dit encore Lipovetsky, doit se lire comme un révélateur moins politique qu'humanitariste. Il montre que l'espoir est placé dans des valeurs éthiques, fraternelles et amicales communes, plus que dans des changements politiques profonds.

Le sociologue insiste aussi sur la clairvoyance des citoyens, « qui se doutent bien que, malgré les coups de menton d'Arnaud Montebourg ou les coups de gueule devant Florange, les remèdes sont souvent des rustines. Ils se disent que, en dépit de ses imperfections et de ses injustices, il va falloir se contenter de notre modèle ». La crise, autant conjoncturelle que structurelle, est amenée à durer et il sera difficile d'éradiquer le chômage en quelques mois. Avec une telle lucidité, on comprend que les foules se soient déplacées pour rire et pour rêver d'un autre monde!

« Ce qui est important, ajoute-t-il pour conclure, c'est qu'il n'y a jamais de misérabilisme. Ce qu'*Intouchables* laisse entrevoir, et c'est pourquoi il a touché des millions de personnes, c'est que les possibilités de changement sont dans tous les êtres, et pas seulement dans des modèles politiques ou idéologiques. »

CHAPITRE VI

LES RAISONS D'UN SUCCÈS

DES VALEURS INTOUCHABLES ?

Le film aux cinquante millions de spectateurs véhicule-t-il des valeurs particulières ? Et se retrouvent-elles dans les quatre films des réalisateurs ? Il est évident qu'il n'y a rien de messianique ou de prosélyte dans *Intouchables*. Rien du « film à thèse » ou du « film à message ». Mais la fidélité à certaines thématiques se constate de film en film.

La famille, celle d'où l'on vient et celle que l'on s'est créée, l'amitié, l'altruisme, la loyauté sont les valeurs d'*Intouchables*, mais aussi celles auxquelles Éric et Olivier, comme François Cluzet et Omar Sy, sont attachés. Peut-on pour autant parler de « valeurs *Intouchables* » ? Si elles ne sont jamais brandies en étendard, jamais prônées de façon dogmatique, elles sont fortement incarnées dans les scènes et les rôles du film.

Encore aujourd'hui, je cherche, comme tant d'autres, des points communs aux quatre films réalisés par Éric Toledano et Olivier Nakache. Force est de constater qu'ils reprennent tous des valeurs refuges, chaque fois représentées par des histoires différentes certes, mais qui reviennent toujours à une même idée centrale, un thème commun, celui du « mieux vivre ensemble ». L'amitié singulière entre Claude et Serge dans *Je préfère qu'on reste amis*, la vie communautaire de la colonie de vacances et l'apprentissage des différences dans *Nos jours heureux*, la famille du sang et celle dont on hérite par le mariage, où, là encore, on doit apprendre à se supporter et à s'accepter dans *Tellement proches,* et bien sûr la singulière réunion de Driss et de Philippe dans *Intouchables*. Le thème de l'alliance des contraires était présent dès le départ.

Peut-on alors parler d'un cinéma de rassemblement ? Pour ma part, je trouvais que l'expression de « film doudou », convenait bien à *Intouchables* car elle recoupe plusieurs idées. Les films doudous sont ceux que l'on aime voir et revoir parce qu'ils nous réconfortent comme un « doudou » d'enfant, ou nous font rire, même après le dixième visionnage. Ils font partie de ces « feel good movies », ce cinéma qui fait du bien.

« Nous avons nos propres "films doudous", confirment les deux auteurs, qui nous rappellent notre enfance et que nous aimons revoir à l'infini. » C'est le cas des *Bronzés* et du *Père Noël est une ordure,* qui ont également marqué des générations, et plus tard, des films de Dino Risi, d'Ettore Scola, et tous les films de Claude Sautet. « J'ai dû voir plus de dix fois *César et Rosalie*, dit Éric, je crois que jamais je ne me lasserai de Sami Frey, d'Yves Montand et bien sûr de Romy Schneider. En revoyant ces images, je revis différents souvenirs et toute une époque. C'est la France des Renault 16, des hommes qui fument dans les cafés. Les films de Sautet racontent, comme peu d'autres, les années 70 et 80. »

Chacun a son « film doudou ». Mais dès lors qu'il est vu par vingt millions de personnes, il devient celui de tout un pays, celui capable d'apaiser et de consoler une société apeurée par les changements et déprimée par la crise.

La convivialité et la chaleur d'*Intouchables*, véritable marque de fabrique de leur cinéma, expliquent en partie le succès du film. Beaucoup de spectateurs sont retournés le voir, plus de trois ou quatre fois pour certains. Non contents de profiter ou de rire des scènes, ils semblent comme hypnotisés, attirés par l'atmosphère rassurante du film, comme si *Intouchables* suscitait une certaine régression.

Chacun a son « film doudou ». Mais dès lors qu'il est vu par vingt millions de personnes, il devient celui de tout un pays, celui capable d'apaiser et de consoler une société apeurée par les changements et déprimée par la crise. La France a-t-elle à ce point besoin d'un film objet pour s'apaiser ? Tous les sondages évoquent le malaise français existant face à la mondialisation et l'angoisse face au futur qui l'accompagne. *Intouchables* a sans aucun doute apporté un modèle de société positif et consolatoire. Mais il est aussi le reflet d'un pays qui a du mal à s'assumer comme cinquième puissance mondiale, qui doute de son modèle social et qui ne sait plus peser ses forces et ses faiblesses.

Le phénomène n'est pas nouveau. Dix ans auparavant, le sociologue Robert Rochefort faisait un constat similaire dans son livre *La France déboussolée* (Odile Jacob, 2002). J'avais été frappée par ses analyses, qui empruntaient au cinéma. Un chapitre s'intitulait avec un brin de provocation : « D'Amélie Poulain à Jean-Marie Le Pen : du rêve au cauchemar ? » « La France a la frousse », disait-il déjà. Notre pays aime se faire peur, avec les chiffres de l'insécurité, avec le 21 avril, et, plutôt que d'aborder « les sujets qui fâchent », préfère faire l'autruche. Rochefort évoquait cette « société de consolation » également décrite par *Le Nouvel Observateur*, qui avait constaté en 2002 que le cadeau le plus offert pour la fête des Mères était... le doudou ! Aujourd'hui encore, les lofteurs et autres participants aux émissions de télé-réalité, tout aussi puérils, s'affichent sans honte avec leur objet fétiche.

Intouchables donnait, à sa manière, une image idéalisée de la France, un symbole à lui seul, celui de notre pays, pluriel et métissé.

Pour comprendre pourquoi les Français ont eu besoin d'un film réconfortant, il est intéressant de se replonger dans l'actualité de l'automne 2011, au moment de la sortie. La France est alors en pleine campagne électorale. Les enjeux sont forts et la plupart des débats tournent autour de l'éventuelle réélection de Nicolas Sarkozy, de la nécessité ou non de rupture et du danger du Front national. Nul ne sait encore quel sera le score final de Marine Le Pen, mais tout le monde agite le chiffon rouge. Les sondages s'affolent : 15, 20 et pourquoi pas 25 % pour le parti Bleu Marine ? La France a peur, de ses extrêmes, du changement, de l'avenir, du racisme, du « Kärcher », de la crise. On se rue au cinéma. Chercher son doudou.

L'automne 2011 a aussi été marqué par la célébration des dix ans des attentats du 11 Septembre. Un mémorial est inauguré à l'emplacement de l'ancien World Trade Center. Un mois plus tard, Kadhafi est capturé, lynché et tué, annonçant un printemps arabe qui va bouleverser les équilibres géopolitiques. L'Iran menace Israël, la Palestine obtient la reconnaissance de l'Unesco. La douce « saudade » de Cesaria Evora se tait définitivement et la France perd une de ses figures tutélaires lorsque Danielle Mitterrand meurt en novembre. Les déchirements politiques occupent l'essentiel des unes des journaux. Droite et gauche s'affrontent comme jamais et, même au sein du Parti socialiste, ébranlé par l'affaire DSK, les primaires du mois d'octobre font apparaître des différends.

Le cinéma peut être un bon catalyseur social. Robert Rochefort, aujourd'hui député européen, emprunte à Edgar Morin une phrase toujours d'actualité : « Le cinéma de fiction est dans son principe beaucoup moins illusoire, et beaucoup moins menteur que le cinéma dit documentaire. » En lisant cela je repense à Serge Daney qui écrivait : « Le cinéma, c'est la psychanalyse du XXᵉ siècle. »

À sa manière, *Intouchables* est une parfaite photographie de la France de 2011-2012. Un miroir de ses aspirations, de ses frayeurs et de ses espoirs. Sans doute peut-on aussi se risquer à y lire sa soif de rassemblement, et son refus d'une société d'affrontements. Combien d'adhérents au parti d'*Intouchables* ? Nul ne le sait précisément. Plus qu'à celui de Marine Le Pen, en tout cas. Les Français se sont identifiés à leurs nouveaux héros, et cela restera un phénomène révélateur et marquant pour le pays.

LA FRANCE D'AUJOURD'HUI

La France a changé, même si certains ont du mal à l'admettre. « Avant, raconte Éric, pour faire jouer un Arabe et un Juif dans *L'Union sacrée*, on prenait Richard Berry et Patrick Bruel. Aujourd'hui, on ne peut plus nier l'émergence de toute une génération de talents qui offrent la possibilité de raconter des histoires plus modernes, plus en phase avec la société : Tahar Rahim, Leïla Bekhti, Roschdy Zem, Reda Kateb, Thomas Ngijol. C'est la France d'aujourd'hui et de demain. »

Éric et Olivier prennent soin de préciser qu'ils n'ont « pas de message à délivrer. Mais, sans doute de façon inconsciente, dans chacun de nos films, nous préférons toujours ne pas nous attarder sur les côtés les plus noirs de l'existence. Il existe des cinéastes qui le font très bien et que nous admirons. Mais cela ne correspond pas à notre philosophie ».

Mêler le sérieux et le frivole, mettre de l'humour même dans les situations les plus délicates, telle est leur signature. « J'aime leur façon de dire des choses profondes avec légèreté, en évitant le pathos et la gravité, confie leur producteur. Ils savent raconter des histoires. Nous avons les mêmes références, celles d'un cinéma populaire de qualité. » Le titre du film aussi révèle leur conception de la vie. Il y a plusieurs manières de l'interpréter. On pense bien sûr à la population des Intouchables que forment en Inde un groupe d'individus exclus du système des castes et opprimés. En France aussi, on peut être mis au ban de la société, notamment si l'on est handicapé, chômeur, noir ou banlieusard. Mais il y a également, précisent les réalisateurs, l'idée que la rencontre de Philippe et Driss les rend invincibles. Après leur folle expérience de parapente, plus rien ne peut les atteindre. Enfin, il était important que le verbe « toucher » soit dans le titre. « C'est essentiel pour comprendre leur relation. Philippe nous avait raconté qu'Abdel avait une façon unique de le toucher et de le manipuler. »

Une histoire, un succès, une poignée d'individus qui partagent un socle commun de valeurs et parfois d'origines. Au fil de mon enquête, ce qui m'a le plus intriguée et touchée fut de voir à quel point *Intouchables* donnait, à sa manière, une image idéalisée de la France, un symbole à lui seul, celui de notre pays, pluriel et métissé. Chacun aura sa propre lecture du film, fort heureusement. J'y vois pour ma part une belle représentation de la France, et la preuve que la banlieue et la diversité sont des trésors.

●

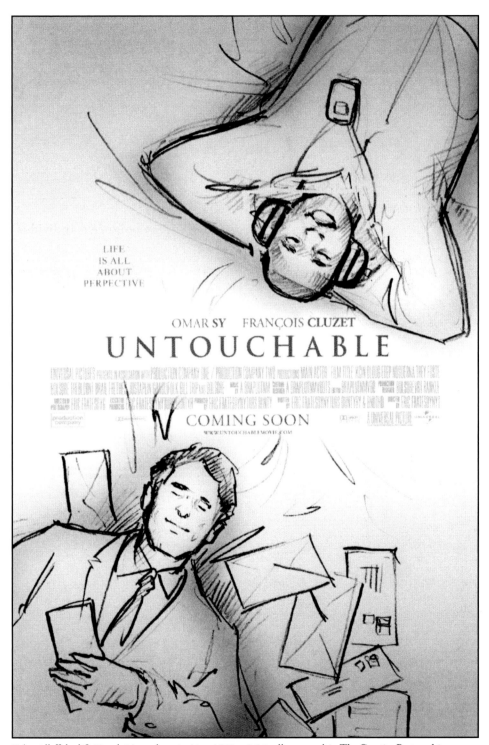

■ *Avant l'affiche définitive, de très nombreux projets ont été imaginés par l'agence anglaise* The Creative Partnership.

L'enrichissement par la faiblesse

Quand on lui parle d'*Intouchables***, Jean-Paul Delevoye affiche un immense sourire.** Avec son imposante carrure de rugbyman et son mètre quatre-vingt-quinze, il avoue en avoir gardé un souvenir marquant. Il faut dire que ce qui s'est passé le 16 mai 2012 dans l'enceinte du très chic bâtiment Art déco de la place d'Iéna restera dans toutes les mémoires.

À l'origine, un très sérieux colloque, sur le thème « *Intouchables*, fiction ou réalité? », réunissant des sommités institutionnelles autour de Laurent de Cherisey et de son association d'aide aux handicapés Simon de Cyrène[1]. Au final, une joyeuse fiesta. Quelques heures plus tard, tout s'est en effet terminé dans une immense boîte de nuit où Omar Sy a dansé au milieu de quatre cents personnes handicapées sur une folle musique hip-hop. « L'ambiance était incroyable, se souvient l'ancien ministre. Omar a mis tout le monde dans sa poche, en quelques minutes ils se sont tous mis à danser. Autour de lui, des personnes trisomiques ou en fauteuil roulant s'amusaient comme des gamins. C'était électrique. » Abdel Sellou et Philippe Pozzo étaient présents. À un moment de la soirée, ce dernier s'est emparé du micro et s'est adressé à la foule: « N'attendez pas d'être tétraplégique pour devenir conciliant, respectueux, attentif. » Si Delevoye considère que ce fut l'un des instants les plus forts de sa carrière, c'est aussi parce que *Intouchables* a été, selon lui, le porte-voix de citoyens à bout de nerfs. « Je pense que ce film a bousculé les gens, quand on entend une personne qui a perdu sa mobilité physique affirmer qu'elle est désormais plus libre dans sa tête, ça fait réfléchir. *Intouchables* nous a ramenés à un regard d'enfant, libéré des normes conventionnelles, revenu à l'essentiel et à une pureté des rapports. »

Lorsqu'il était médiateur de la République, Jean-Paul Delevoye avait surpris par le cri d'alarme qu'il avait fait entendre à la une du *Monde* du 21 février 2010: « Les Français sont fatigués psychiquement », y affirmait-il. Depuis, beaucoup le considèrent comme l'un des meilleurs observateurs de la société française. Deux ans après, il interpelle à nouveau en s'appuyant sur un sondage réalisé avec le Cevipof (Centre d'études de la vie politique française) dans lequel on apprend que, lorsqu'on demande aux Français « quel est votre état d'esprit actuel? », ceux-ci répondent la méfiance, la morosité et la lassitude. Ils se disent inquiets pour l'avenir de leurs enfants, sceptiques à l'égard du progrès scientifique, contrairement aux populations des pays émergents, et terriblement critiques vis-à-vis des politiques.

« Nous ne sommes pas en crise, mais en métamorphose, observe Jean-Paul Delevoye. Nous sommes en train de passer d'une société de la performance à une société de l'épanouissement. Les gens en ont assez d'être sous pression et en compétition permanente. La peur du déclassement n'est plus seulement individuelle mais collective. On n'a plus uniquement peur de perdre son travail, mais on a l'impression que c'est toute la société qui se casse la figure, notamment avec la désindustrialisation. Les mutations se font toujours dans la douleur. Dans cette nouvelle société, on aspire à des relations humaines moins tendues, moins précaires. Le monde de demain sera très différent de celui d'hier. Toutes les études le prouvent, il y a une réelle aspiration au partage et à la collaboration, un désir de passer du "je" au "nous". Et c'est ce que nous montre de manière prémonitoire *Intouchables*. »

Jean-Paul Delevoye appuie son propos sur quelques chiffres : 13 % des Français disent se sentir inutiles, abandonnés ou exclus. 18 % ont même l'impression (parfois) d'être des ratés. « Le film, poursuit-il, propose une vraie réflexion sur la faiblesse et sur l'enrichissement par la différence. Ceux qui fréquentent des handicapés ou des trisomiques savent à quel point on peut s'enrichir à leur contact. De même, dans les cités, on constate que ceux qui se sentent exclus font souvent preuve d'une étonnante créativité. Les périodes de crise sont toujours des moments de grand bouillonnement culturel. »
Pour lui, *Intouchables* fait l'éloge de la différence dans un monde où les rides ne sont plus symboles d'expérience mais de vieillesse, où les rondeurs ne signifient plus appétit de vie mais complexes, une société où l'on nous demande trop, au-delà de nos limites psychiques et physiques. *Intouchables* est alors la réponse de ceux qui espèrent vivre moins selon les conventions que selon leurs désirs profonds. « Ce film porte le projet d'une société où le "vivre ensemble" prend un sens inédit. Et où la faiblesse peut être un atout. »

1. Une partie des bénéfices du film a été reversée à l'association Simon de Cyrène qui propose une réponse innovante aux personnes victimes de handicap (suite à un accident de la circulation, de sport, AVC, traumatisme crânien...). Elle développe des lieux de vie partagée pour personnes handicapées cérébro-lésées et personnes valides.

PHILIPPE POZZO DI BORGO

Éric Tolédano et Olivier Nakache sont venus en
février 2010 dans ma tanière d'Essaouira et tout
de suite le contact s'est établi sur des bases chaleureuses.

Leur humour est communicatif, et leur permet
de faire passer toute leur sensibilité sans incommoder.

Avec leur producteur, Nicolas Duval-Adassovsky,
il y avait là un formidable trio d'intelligence,
de pertinence et de générosité.

L'offre de 5 % des recettes nettes (pris sur la part des
producteurs) pour mon association Simon de Cyrène
est venue d'eux ; de mon côté je ne demandais rien.

Ils ont eu l'extrême amabilité de me consulter au cours
de l'élaboration du scénario, de nous présenter Omar Sy
et François Cluzet, de venir régulièrement, par
courtoisie, de nous tenir informé des progrès,
de présenter en avant-première le film aux handicapés
de l'établissement de rééducation de Kerpape
où j'avais passé cinq ans, puis au personnel médical,
de nous associer à leur aventure avec beaucoup
de déférence. Ce sont des gentlemen.

Leurs qualités d'intelligence,
de cœur, de générosité, de partage, de respect,
d'humour, sont celles de leur film et expliquent
en grande partie l'exceptionnelle qualité de leur
réalisation. Le succès phénoménal y trouve sa source et,
de plus, le film s'est trouvé en adéquation avec une
attente latente dans tout l'Occident.

Dans une société où la tyrannie de la performance et de la normalité déstabilise un nombre toujours plus élevé d'individus, où les *Intouchables* deviennent majorité, et où les perspectives d'une résilience sont obstruées par une radicalisation des rapports sociaux, Éric et Olivier ont apporté une illustration admirablement réalisée et interprétée que les différences et les fragilités peuvent être une réponse et une thérapie aux maux de notre société lorsqu'elles sont reçues avec bienveillance, humour, délicatesse, humanité.

C'est à cette suggestion, à l'image d'Éric et Olivier, que les spectateurs, par millions, ont applaudi sur le générique de fin. Ils ont applaudi les artistes, qu'ils soient réalisateurs, acteurs ou directeur artistique ; ils ont applaudi les éclaireurs que sont Éric et Olivier ; et ils se sont surtout applaudis eux-mêmes, rassurés qu'ils étaient d'avoir entendu une piste de « salut » qui les touche dans leur intime espoir.

En voyant le film, j'ai eu l'impression d'assister à une merveilleuse interprétation d'une partition que je connaissais par cœur, dans laquelle ce n'est pas l'histoire ou la mélodie qui m'ont séduit mais le détail, la finesse, la richesse, la complexité.

Intouchables, on y revient avec délectation, c'est une autre clé du succès. Dans les milliers de mails que j'ai reçus, dans les dizaines de conférences que je continue à faire à travers toute l'Europe, j'ai vu à quel point les *Intouchables* d'Éric et Olivier sont devenus les hérauts d'une société réconciliée, plutôt qu'antagonisée, avec ses différences et ses fragilités.

Cette société a trouvé, dans le film, une nouvelle
manière d'être ensemble, à l'image de l'amitié
des réalisateurs, qu'ils ont transposée dans celle
de Driss et de Philippe, où l'humour,
la considération, l'altruisme, l'emportent
sur la compétition, la performance et la force.

•

*Dans une société où la tyrannie de la performance
et de la normalité déstabilise un nombre toujours plus élevé d'individus,
où les* **Intouchables** *deviennent majorité, et où les perspectives
d'une résilience sont obstruées par une radicalisation des rapports sociaux,
Éric et Olivier ont apporté une illustration admirablement réalisée
et interprétée que les différences et les fragilités peuvent être une réponse
et une thérapie aux maux de notre société lorsqu'elles sont reçues
avec bienveillance, humour, délicatesse, humanité.*

ABDEL SELLOU

« Le film m'a surpris. En même temps que je regardais chaque scène sur l'écran, je revoyais les moments tels que je les avais vraiment vécus. Je me suis revu à vingt-cinq ans, face aux flics, leur expliquant que mon patron faisait une crise d'hypertension et qu'il fallait l'emmener fissa à l'hôpital, une question de vie ou de mort !

Je me suis demandé : *mais, j'étais vraiment inconscient à ce point ? Et pourquoi il m'a gardé près de lui ?* Je crois que ni lui, ni moi, ni personne ne sera jamais en mesure de comprendre un truc aussi dingue. Quand j'ai sonné à sa porte, je n'étais pas encore un type généreux. Il se trouve qu'Olivier Nakache et Éric Tolédano ont créé un double de moi.

Un autre Abdel, mais en mieux. Ils ont fait de mon personnage une vedette du film autant que le personnage de Philippe, incarné par François Cluzet. […]

Mais qui je suis, moi, pour parler de souffrance, de pudeur, de handicap ? J'ai juste eu plus de chance que la masse des aveugles qui n'avaient rien vu avant de voir *Intouchables*. »

Mais qui je suis, moi, pour parler de souffrance, de pudeur, de handicap ?

Extrait du livre d'Abdel Sellou, *Tu as changé ma vie…* (Michel Lafon, 2012).

FRANÇOIS CLUZET

Et surtout, il faut dire que Philippe Pozzo di Borgo est un type tout à fait exceptionnel. C'est quand même un gars qui a exigé des réalisateurs que le film soit une comédie ! Il leur a fait jurer, sous peine de leur refuser le droit d'adapter son histoire.

Dans ma vie, j'ai rarement lu un scénario qui me donne envie de jouer d'emblée. Ce fut le cas avec *Intouchables*. Le scénario était quasi parfait quand je l'ai lu, d'une traite, et j'ai tout de suite appelé pour dire que je voulais faire ce film. J'ai immédiatement vu le duo de cirque et son potentiel, j'ai compris qu'Omar serait l'Auguste, celui qui fait rire, et que j'allais endosser le rôle du clown blanc, celui qui a une forme d'autorité, qui donne le *la*. Je voyais ce tandem un peu comme un père et son enfant.

J'ai joué deux fois des histoires d'amitié très fortes : une fois avec Dexter Gordon dans *Autour de minuit*, une autre avec Guillaume Depardieu dans *Les Apprentis*. Lors de ma première rencontre avec Olivier Nakache et Éric Toledano, je les sentais un peu fébriles. Je leur ai dit qu'avec mes soixante-dix films au compteur, je savais reconnaître un bon scénario. Et j'ai ajouté : « Si on a la grâce, on ira au bout du monde avec ce film. »

Cela me fait rire aujourd'hui, car j'étais loin d'imaginer que nous irions si loin ! Mais le succès d'*Intouchables* n'est pas dû au hasard. Pour moi, cela s'explique par la conjonction de cinq phénomènes : le talent des réalisateurs, deux gars incroyablement doués, la grâce d'Omar, la force de Pozzo et sa relation unique avec Abdel, le travail d'un monteur extraordinairement doué, et la qualité de ce qu'on appelait à une époque la « caméra stylo », ce que la caméra raconte fait sens avec l'histoire, un art dans lequel l'apport du chef opérateur Mathieu Vadepied a été essentiel. Je pense aussi que le fait qu'Olivier, Éric et Omar se connaissent depuis les premiers courts-métrages a beaucoup joué, ce n'est pas anodin.

Et surtout, il faut dire que Philippe Pozzo di Borgo est un type tout à fait exceptionnel. C'est quand même un gars qui a exigé des réalisateurs que le film soit une comédie ! Il leur a fait jurer, sous peine de leur refuser le droit d'adapter son histoire. Alors que sa vie nous semble, à nous, tragique, lui affirme qu'il a commencé à vivre et à exister à partir de son accident. Cela nous force à réfléchir.

Pour moi, tout est parti de cette rencontre. La première fois que j'ai assisté aux soins de Philippe, j'ai absorbé, pompé, enregistré les moindres gestes. J'étais comme une éponge. Moi qui ne suis pas tellement altruiste, j'ai tenté de faire comme Pozzo, de le suivre dans son abnégation, et de donner sans espoir de recevoir, et j'ai été immensément récompensé. Avec Omar, nous avons conclu un pacte d'altruisme réciproque. Car Omar, faut-il le préciser, est un prince. Il n'est jamais dans le faux. Je lui ai dit : « Tu joues pour moi, je joue pour toi. » Ce pacte est devenu la base de notre relation. Lorsqu'il était face à moi, et que je ne pouvais pas bouger, je n'avais que mes yeux pour l'encourager. J'ai tenté de lui offrir le maximum en lui donnant le regard, je le regardais comme un spectateur enjoué et ravi dont les yeux semblent dire « encore ! encore ! ». De même, lui me regardait avec une forme de compassion. Dès le premier jour, il m'a vu, sans feindre, comme une personne diminuée. Je sentais qu'il me regardait comme si j'étais vraiment handicapé, amoindri. Et moi, dès que je pouvais, je le regardais avec admiration, je me disais : « je n'ai pas de bras mais je vole en t'écoutant ». Le secret de notre duo de cinéma est qu'à aucun moment, notre amitié n'est feinte. La complicité n'est pas jouée. C'est ce qui donne une vérité à cette amitié.

Quand j'entends des gens dire « quel exploit de ne jouer qu'avec son visage ! », j'ai plutôt envie de répondre que je n'ai fait que mon boulot. C'est un beau rôle. Mais c'est un rôle de flemmard quand même ! Je n'ai pas l'impression d'avoir accompli des choses exceptionnelles. En revanche, la soif d'abnégation vers laquelle vous pousse Philippe Pozzo est exceptionnelle. Ce que j'ai compris d'essentiel dans la personnalité de cet homme, c'est que la douleur, il ne la montre jamais. Il la transforme en joie de vivre et en générosité.

Lorsque le fauteuil roulant est arrivé pour la première fois au bureau de la production, j'ai senti que tout le monde tournait autour de moi, tous très excités et impatients de me voir dedans. Je les ai tout de suite

Je me suis assis très lentement en m'imaginant que je ne ferais plus jamais de moto, moi qui en suis tellement fou.
Je me disais à moi-même que je ne pourrais plus jamais ni courir, ni marcher, ni sauter.
J'ai tellement cru à mon histoire que j'en ai été très ému et que j'ai éprouvé une vraie souffrance.

refroidis en leur disant de ne pas compter sur moi pour m'asseoir dedans comme si de rien n'était. J'ai attendu que tout le monde sorte et ce n'est qu'une fois seul dans la pièce, face à ce fauteuil, que, très concentré, je me suis assis très lentement en m'imaginant que je ne ferais plus jamais de moto, moi qui en suis tellement fou. Je me disais à moi-même que je ne pourrais plus jamais ni courir, ni marcher, ni sauter. J'ai tellement cru à mon histoire que j'en ai été très ému et que j'ai éprouvé une vraie souffrance.
J'ai été petit à petit envahi par une émotion sensorielle que ma mémoire retrouvait intacte à chaque fois que, sur le tournage, j'allais m'asseoir sur ce fauteuil. À chaque scène, cette émotion, cette expression rejaillissait sur mon visage.

On a beaucoup écrit que ce rôle était comme une renaissance pour moi, après mes années d'autodestruction et d'excès avec l'alcool et la drogue, mais je ne le pense pas. Je sais que j'ai commencé à renaître le jour où j'ai vraiment voulu cesser d'être amateur pour devenir un acteur professionnel à part entière.

La grâce, la magie du film viennent du non-jeu. Mon expérience m'a appris qu'il faut vivre plutôt que jouer ou faire semblant. Et mieux vaut toujours en faire plus qu'il n'en faut, mettre les bouchées doubles ou triples, et du cœur à l'ouvrage. C'est ainsi que travaillent Toledano-Nakache. Au début, j'étais stupéfié de leur entente avec Omar, j'avais peur du côté « 3+1 » mais, très vite, j'ai intégré le groupe car ils sont intelligents et généreux. Le tandem est très complémentaire. Il s'effondrerait s'ils étaient séparés. Tous deux sont portés par leur confiance mutuelle, un peu comme dans une histoire d'amour.

Sur le plateau, ils donnent au tournage une ambiance propice au jeu. Ils ont ceci de particulier qu'ils savent faire naître la fantaisie et donner envie de jouer.

Intouchables est à ce jour le seul film dans lequel j'ai joué qui m'ait fait pleurer.

Je sais que je ne remercierai jamais assez Éric et Olivier de m'avoir choisi et de m'avoir fait confiance. Je n'ai qu'un mot à leur dire : « Merci. » Ce rôle est un immense cadeau.

OMAR SY

Si je ne devais retenir qu'une chose d'*Intouchables*, c'est que c'est un film qui m'a fait grandir. Aujourd'hui je suis un autre homme. Il est impossible d'isoler un moment plus qu'un autre, car l'ensemble du tournage s'est déroulé comme une parenthèse de grâce. Pour la première fois de ma vie, j'étais fier de ce que j'avais fait. J'ai pu me dire « mission accomplie », après m'être donné à 100 %, chaque jour, sur le plateau.

J'ai vécu à fond ce tournage, je me suis investi au maximum, sans tricher, sans freiner, en repoussant à chaque fois le sentiment de manque de légitimité que j'ai toujours eu.
Pour la première fois, je me suis senti acteur. Au départ, je n'en menais pas large. Non seulement c'était mon premier rôle principal, l'idée de tenir sur la longueur m'angoissait, mais en plus, être face à François Cluzet m'impressionnait beaucoup.
Alors j'ai mis les bouchées doubles, j'ai travaillé avec ma coach encore plus que d'habitude.

Avant, je tournais généralement peu, sur des formats courts ; je me demandais vraiment comment on pouvait être bon sur deux heures de film et non sur une minute seulement.
Je me posais beaucoup de questions sur l'endurance, la régularité. Éric et Olivier m'ont donné confiance, et sans doute ont-ils vu des choses en moi, depuis longtemps, que je ne soupçonnais même pas. En quelques secondes, François Cluzet m'a mis à l'aise et a fait retomber toute la pression. Il s'est comporté d'égal à égal.
On a fait équipe. Il a été extraordinaire. Avec François, j'ai appris plus qu'avec n'importe qui d'autre. J'étais un peu comme le petit qui débarque, il m'a beaucoup donné.

Il fait partie de ceux que j'appelle les « chauds ». Il est « chaud », comme Éric et Olivier, ou Philippe Pozzo. Des gens aimants et aimables. Des personnes qui entrent tout de suite dans la relation humaine, avec lesquelles on sent immédiatement un lien qui se crée, une sincérité, une charge humaine et une profondeur dans le rapport aux autres. Avec les années, je distingue assez bien ceux qui sont « chauds » des autres ! Par exemple, mes amis de toujours, Fred Testot, Bertrand Delaire, sont « chauds ».

Sur le tournage, François disait tout le temps que se dégageait un « supplément d'âme ». Moi, j'ai eu l'impression d'aller de surprise en surprise avec ce film, et ce depuis le premier jour. Avec Éric et Olivier, notre amitié a toujours été aussi profonde que pudique. Notre lien est fraternel, humain, il va au-delà de l'amitié. Bien sûr, je ne leur dirai jamais assez merci.

Mais j'ai surtout envie de leur dire combien j'ai envie de travailler encore avec eux, et, comme je l'ai dit aux César, « j'espère que l'on n'est qu'au début de notre histoire ».

Intouchables a tout changé dans ma vie. Absolument tout. Et encore, je pense que je ne suis pas au bout de mes surprises.

Grâce au film, j'ai fait beaucoup de rencontres importantes, déterminantes. Le regard que les gens portent sur moi a changé. Au début, j'avais un peu de mal à me repérer avec tous les conseils contradictoires qu'on me donnait. On me disait « Reste toi-même ! », puis j'entendais « Surtout profites-en bien », ou encore « Ne crache pas dans la soupe ! ». Le plus important, c'est ce que ce film a fait évoluer au plus profond de moi.

Ce film a renforcé mes convictions profondes. Ma foi en l'homme, ma foi en l'amour et mes croyances religieuses. Avant, je n'osais pas en parler. J'avais honte, par peur de passer pour un candide, un naïf. Aujourd'hui, grâce à ce film, j'assume ce que je suis. Je n'ai plus peur de dire que je suis attaché aux valeurs d'humanité et de partage. Je suis fier d'être le père de quatre enfants. J'essaie d'être attentif à chacun d'entre eux, aux petits comme aux grands. Car je sais que le film a aussi changé quelque chose en eux. Nous gardons précieusement des instants à vivre ensemble, et je peux vous assurer que le plaisir d'avoir mes quatre enfants dans mon lit le dimanche matin reste irremplaçable !

Aujourd'hui, il m'est difficile d'expliquer le succès d'*Intouchables*. Sans doute, tout cela est-il surtout une grande histoire d'amour. Pour ma part, j'aurai peut-être compris dans cinquante ou soixante ans. Quand je serai installé sur un transat, à discuter avec mes copains, un diabolo fraise à la main. Peut-être que là, enfin, on prend la mesure de cette onde de choc.

En tout cas, une chose est sûre, on n'a pas fini d'en parler...

●

Ce film a renforcé mes convictions profondes.
Ma foi en l'homme, ma foi en l'amour et mes croyances religieuses.
Avant, je n'osais pas en parler. J'avais honte, par peur de passer
pour un candide, un naïf.

Aujourd'hui, grâce à ce film, j'assume ce que je suis.
Je n'ai plus peur de dire que je suis attaché aux valeurs d'humanité
et de partage.

RÉCOMPENSES

> 36e CÉRÉMONIE DES JAPAN ACADEMY PRIZE (2013) :
PRIX DU MEILLEUR FILM ÉTRANGER

> 27e CÉRÉMONIE DES GOYAS (2013) :
PRIX GOYA DU MEILLEUR FILM EUROPÉEN.

> 20e TROPHÉES DU FILM FRANÇAIS (2013) :
TROPHÉE UNIFRANCE FILMS

> 44e NAACP IMAGE AWARDS (2013) :
MEILLEUR FILM INTERNATIONAL

> 21e SOUTHEASTERN FILM CRITICS ASSOCIATION
AWARDS (2012) :
MEILLEUR FILM EN LANGUE ÉTRANGÈRE

> 17e FLORIDA FILM CRITICS CIRCLE AWARDS (2012) :
MEILLEUR FILM EN LANGUE ÉTRANGÈRE

> 10e AFRICAN-AMERICAN FILM CRITICS ASSOCIATION
AWARDS (2012) :
MEILLEUR FILM EN LANGUE ÉTRANGÈRE

> 13e PHOENIX FILM CRITICS SOCIETY AWARDS (2012) :
MEILLEUR FILM EN LANGUE ÉTRANGÈRE

> BLACK FILM CRITICS CIRCLE (2012) :
MEILLEUR FILM ÉTRANGER

> 17e SATELLITE AWARDS (2012) :
MEILLEUR FILM ÉTRANGER

> 9e ST. LOUIS FILM CRITICS ASSOCIATION AWARDS
(2012) :
MEILLEUR FILM EN LANGUE ÉTRANGÈRE

> 16e FESTIVAL COLCOA
DU FILM FRANÇAIS À HOLLYWOOD (2012) :
PRIX DU PUBLIC
PRIX SPÉCIAL DE LA CRITIQUE

> 14e FESTIVAL INTERNATIONAL
DU FILM DU WISCONSIN (2012):
PRIX DU MEILLEUR FILM
PRIX DU PUBLIC

> PRIX LUMIÈRES 2012 :
PRIX LUMIÈRES DU MEILLEUR ACTEUR POUR OMAR SY

> GLOBES DE CRISTAL 2012 :
PRIX DU MEILLEUR FILM
PRIX DU MEILLEUR ACTEUR POUR OMAR SY

> CÉSAR 2012 :
CÉSAR DU MEILLEUR ACTEUR POUR OMAR SY

> 24e FESTIVAL INTERNATIONAL
DU FILM DE TOKYO (2011) :
TOKYO SAKURA GRAND PRIX 2011
PRIX DU MEILLEUR ACTEUR POUR FRANÇOIS CLUZET
ET OMAR SY

> 19e TROPHÉES DU FILM FRANÇAIS (2012) :
TROPHÉE DU PRIX DU PUBLIC TF1
TROPHÉE DU FILM FRANÇAIS
TROPHÉE DES TROPHÉES

NOMINATIONS

> 70e CÉRÉMONIE DES GOLDEN GLOBES : NOMINATION
AU GOLDEN GLOBE DU MEILLEUR FILM ÉTRANGER

> 66e CÉRÉMONIE DES BRITISH ACADEMY FILM AWARDS
(BAFTA AWARDS) : NOMINATION
AU BRITISH ACADEMY FILM AWARD
DU MEILLEUR FILM EN LANGUE ÉTRANGÈRE

> 9 NOMINATIONS POUR LES CÉSAR DU CINÉMA 2012:

> CÉSAR DU MEILLEUR FILM

> CÉSAR DU MEILLEUR RÉALISATEUR

> CÉSAR DU MEILLEUR SCÉNARIO ORIGINAL

> CÉSAR DU MEILLEUR ACTEUR
(OMAR SY ; FRANÇOIS CLUZET)

> CÉSAR DE LA MEILLEURE ACTRICE
DANS UN SECOND RÔLE (ANNE LE NY)

> CÉSAR DE LA MEILLEURE PHOTOGRAPHIE

> CÉSAR DU MEILLEUR MONTAGE

> CÉSAR DU MEILLEUR SON

REMERCIEMENTS

Nous tenons à remercier tous ceux qui nous ont accordé leur témoignage, et tous ceux qui ont contribué à l'élaboration de ce livre, avec rigueur et patience, et tout particulièrement Foucauld Barré aidé de Clémence Vandendriessche et Robin Noël.

Nous remercions également toute l'équipe technique d'*Intouchables*, Quad, Splendido, Gaumont et Unifrance. Ainsi que Raphaël Toledano dit "Stanley" pour son sens de l'archivage.

Suivant le souhait d'Eric Toledano et Olivier Nakache, la partie des bénéfices qui leur est destinée sera intégralement reversée à l'association Les Toiles Enchantées qui organise des projections de films pour les enfants à l'hôpital, ainsi qu'à l'association Le Silence des Justes, centre qui accueille, depuis 1996, de jeunes autistes et psychotiques.

www.lestoilesenchantees.com

Le silences des justes

CONCEPTION GRAPHIQUE
VINCENT LUNEL

ACHEVÉ D'IMPRIMER
EN SEPTEMBRE 2013

PREMIÈRE ÉDITION,
DÉPÔT LÉGAL OCTOBRE 2013

N° D'ÉDITION : 17944

IMPRIMÉ EN ESPAGNE